Dépôt légal 1er trimestre 1987
Bibliothèque nationale du Québec
ISBN-2-920675-20-6

La Grande Collection Micro-Ondes

Le Gibier

Grolier Limitée
MONTRÉAL, QUÉ.

Introduction

Comment utiliser ce livre

Conçus pour vous faciliter la tâche, les livres de la *Grande Collection* présentent leurs recettes d'une manière uniforme.

Nous vous suggérons de consulter en premier lieu la fiche signalétique de la recette. Vous y trouverez tous les renseignements dont vous avez besoin pour décider si vous êtes en mesure d'entreprendre la préparation d'un plat : temps de préparation, coût par portion, degré de complexité, nombre de calories par portion et autres renseignements pertinents. Par exemple, si vous ne disposez que de 30 minutes pour préparer le repas du soir, vous saurez rapidement quelle recette convient à votre horaire.

La liste des ingrédients est toujours clairement séparée du corps du texte et, lorsque l'espace nous le permettait, nous avons ajouté une photographie de ces éléments regroupés : vous disposez donc d'une référence visuelle. Cet aide-mémoire, qui vous évite de relire la liste, constitue une autre façon d'économiser votre temps précieux.

Par ailleurs, pour les recettes comportant plusieurs étapes de préparation, nous avons illustré celles qui nous semblaient les plus importantes pour le succès de la recette ou la présentation du plat.
La cuisson de tous les plats présentés est faite dans un four à micro-ondes de 700 W. Si la puissance de votre four est différente, consultez le tableau de conversion des durées de cuisson que vous trouverez à la page 6.
Soulignons que le temps de cuisson donné dans le livre est un temps minimal. Au besoin, si la cuisson du plat ne vous semble pas suffisante, vous pourrez le remettre au four quelques minutes. En outre, le temps de cuisson peut varier selon la teneur en humidité et en gras, l'épaisseur, la forme, voire même la provenance des aliments. Aussi, avons-nous prévu, pour chaque recette, un espace vierge dans lequel vous pourrez inscrire le temps de cuisson vous convenant le mieux. Cela vous permettra d'ajouter une touche personnelle aux recettes que nous vous suggérons et de reproduire sans difficulté vos meilleurs résultats.

Bien que nous ayons regroupé les informations techniques en début de volume, nous avons parsemé l'ouvrage de petits encadrés, appelés **TRUCS MO**, expliquant des techniques particulières. Concis et clairs, ils vous aideront à mieux réussir vos mets.

Dès la préparation de la première recette, vous découvrirez à quel point la cuisine micro-ondes fait appel à des techniques simples que, dans bien des cas, vous utilisiez déjà pour la cuisson au moyen d'une cuisinière traditionnelle.
Si pour vous, comme pour nous, cuisiner est un plaisir, le faire au four à micro-ondes agrémentera encore davantage vos préparations culinaires.
Mais c'est déjà prêt.
À table.

L'éditeur

Table des matières

La Grande Collection Micro-Ondes se veut une encyclopédie complète de l'art culinaire adapté à la cuisson au four à micro-ondes. Pour la première fois, les ménages québécois pourront consulter un ouvrage exhaustif, consacré à la cuisson micro-ondes, entièrement conçu et réalisé au Québec.

Chacun des vingt-six tomes se concentre sur un thème précis, ce qui en facilite la consultation. Ainsi, par exemple, si vous cherchez des idées pour apprêter une volaille, vous n'aurez qu'à vous référer à l'un des deux livres consacrés à cette question. Il est à noter que chaque livre s'accompagne de son index et que le dernier ouvrage de la Grande Collection présente un index général de l'ensemble.

Facile à consulter, la Grande Collection Micro-Ondes, qui offre plus de mille deux cents recettes, saura devenir un outil culinaire aussi utile et indispensable que votre four à micro-ondes.
Bonne lecture et, surtout, bon appétit !

Niveaux de puissance

Toutes les recettes de ce livre ont été testées dans un four de 700 W. Comme il existe un grand nombre de fours à micro-ondes dans le commerce, avec des niveaux de puissance différents, et que les appellations de ces niveaux varient d'un fabricant à l'autre, nous avons préféré donner des pourcentages. Pour adapter les niveaux de puissance donnés, consultez le tableau ci-contre et le livret d'utilisation afférent à votre four.

Ainsi, si vous possédez un four de 500 W ou de 600 W, vous devrez majorer les temps de cuisson mentionnés d'environ 30 %. Précisons que plus la durée de cuisson est brève, plus la majoration peut être importante en termes de pourcentage. Le chiffre de 30 % ne représente donc qu'une moyenne. Consultez le tableau ci-contre pour vous aider à ce chapitre.

Tableau d'intensité

FORT - HIGH : 100 % - 90 %	Légumes (sauf pommes de terre bouillies et carottes) Soupes Sauces Fruits Coloration de la viande hachée Plat à rôtir Maïs soufflé
MOYEN - FORT - MEDIUM HIGH : 80 % - 70 %	Décongélation rapide de mets déjà cuits Muffins Quelques gâteaux Hot dogs
MOYEN - MEDIUM : 60 % - 50 %	Cuisson des viandes tendres Gâteaux Poissons Fruits de mer Oeufs Réchauffage des aliments Pommes de terre bouillies et carottes
MOYEN - DOUX - MEDIUM LOW : 40 %	Cuisson de viandes moins tendres Mijotage Fonte du chocolat
DÉCONGÉLATION - DEFROST : 30 % DOUX - LOW : 20 % - 30 %	Décongélation Mijotage Cuisson de viandes moins tendres
MAINTIEN - WARM : 10 %	Maintien au chaud Levage de la pâte à pain

700 W	600 W*
5 s	11 s
15 s	20 s
30 s	40 s
45 s	1 min
1 min	1 min 20 s
2 min	2 min 40 s
3 min	4 min
4 min	5 min 20 s
5 min	6 min 40 s
6 min	8 min
7 min	9 min 20 s
8 min	10 min 40 s
9 min	12 min
10 min	13 min 30 s
20 min	26 min 40 s
30 min	40 min
40 min	53 min 40 s
50 min	66 min 40 s
1 h	1 h 20 min

* Il y a peu de différence entre les durées applicables aux fours de 500 watts et ceux de 600 watts.

Table de conversion

Table de conversion des principales mesures utilisées en cuisine	Mesures liquides	Mesures de poids
	1 c. à thé . . . . 5 ml	2,2 lb . . . . .1 kg (1 000 g)
	1 c. à soupe . . . . .15 ml	1,1 lb . . . . .500 g
		0,5 lb . . . . .225 g
	1 pinte . . .(4 tasses) . . .1 litre	0,25 lb . . . . .115 g
	1 chopine . (2 tasses) .500 ml	1 oz . . . . .30 g
	1 tasse . . . . .250 ml	
	1/2 tasse . . . . .125 ml	
	1/4 de tasse . . . . .50 ml	

Équivalence métrique des températures de cuisson		
	49°C . . . . .120°F	120°C . . . . .250°F
	54°C . . . . .130°F	135°C . . . . .275°F
	60°C . . . . .140°F	150°C . . . . .300°F
	66°C . . . . .150°F	160°C . . . . .325°F
	71°C . . . . .160°F	180°C . . . . .350°F
	77°C . . . . .170°F	190°C . . . . .375°F
	82°C . . . . .180°F	200°C . . . . .400°F
	93°C . . . . .190°F	220°C . . . . .425°F
	107°C . . . . .200°F	230°C . . . . .450°F

Les lecteurs noteront que, dans les recettes, nous convertissons 250 ml en 1 tasse ou encore 450 g en 1 lb. Cela s'explique par le fait qu'en cuisine, il est peu pratique de donner des conversions arithmétiques justes. En effet, les instruments de mesure ne permettent pas d'obtenir des quantités aussi précises mais peu commodes que 454 g (1 lb), par exemple. Nous devons donc utiliser des équivalences approximatives, ce qui peut donner lieu à certaines contradictions arithmétiques. Par contre, du fait que les quantités sont toujours exprimées dans les deux systèmes de mesure (métrique et impérial), cette façon de procéder ne devrait poser aucune difficulté.

Les symboles

Légende des pictogrammes

Dans le but de faciliter la lecture des fiches signalétiques des recettes, nous avons prévu des pictogrammes indiquant le niveau de complexité et le coût.

Le symbole ![icône] vous rappelle d'inscrire votre temps de cuisson dans l'espace prévu à cette fin.

Complexité

 préparation facile

 difficulté moyenne

préparation pouvant comporter certaines difficultés

Coût par portion

Le symbole identifiant le coût par portion ne figure pas dans ce volume, puisqu'il est difficile d'évaluer les coûts qu'entraîne la chasse du gibier.

Entre la fable et la table

« Sous les ordres d'un chef instruit, le gibier subit un grand nombre de modifications et transformations savantes, et fournit la plupart des mets de haute saveur qui constituent la cuisine transcendante. »
(Brillat-Savarin)

Tellement d'histoires, de légendes et d'anecdotes sont venues meubler les longues soirées d'hiver de nos aïeux, qu'on ne distingue plus toujours la réalité et les fruits de l'imagination. Notre mémoire collective est ainsi émaillée de fables et de récits merveilleux.

Il n'y a pas si longtemps, en nos régions habitées de personnages pittoresques, de coureurs des bois et d'aventuriers, les conteurs ont promené leurs récits colorés, d'est en ouest et du nord au sud. Mais les contes populaires cachent tout de même une grande part de vérité. Venus de France, d'Irlande ou d'Angleterre, les Blancs ont appris vite à développer ruse et adresse pour attraper le gibier. Dépister le caribou, traquer le renard, débusquer le lièvre, voilà ce que nos ancêtres ont dû apprendre. conquérants, les habitants de la vieille Amérique vivaient en harmonie avec la nature. Ils veillaient à la survie des leurs tout en respectant la faune et la flore. La chasse, à cette époque, n'avait pas la même signification qu'aujourd'hui ; il ne s'agissait pas d'une industrie à rentabiliser. L'idée de chasser pour vendre ne fut instaurée qu'avec l'arrivée des Européens, qui se livraient au commerce des fourrures. Le caribou, qui n'avait pas encore migré vers le Grand Nord, de même que le chevreuil et l'orignal servaient à nourrir et à habiller les membres des différentes tribus autochtones. Les nerfs des bêtes étaient transformés en de longs lacets et utilisés pour fabriquer les raquettes. On séchait et fumait les viandes afin d'en assurer la afin d'en assurer la conservation. Les Esquimaux rabattaient le caribou en construisant de hautes cloisons d'arbres dans certaines parties de la forêt. Après avoir effrayé le troupeau convoité, ils ramenaient de force quelques bêtes affolées, en direction de l'immense piège.

L'ours avait droit à la vénération de certains habitants. Considéré par plusieurs comme l'esprit de l'homme réincarné, il inspirait nombre de mythes et de légendes. Pour survivre, cependant, on devait parfois le chasser. Outre sa chair, on conservait ses griffes, auxquelles on attribuait des pouvoirs magiques.

À l'époque, on traquait aussi bien l'écureuil et la loutre que le porc-épic et la marmotte. Le lièvre, le castor, le rat musqué et le renard étaient aussi prisés. Le pigeon, la perdrix, la tourte, la bécasse, la corneille et nombre d'autres oiseaux sont tombés tour à tour dans les mains de chasseurs habiles. Le répertoire des gibiers sauvages étant encore très vaste aujourd'hui, l'on goûte encore, avec plaisir et délectation, de nombreux volatiles.

Au fil du temps, les Européens ont imposé leur mode de vie sur le nouveau continent, délogeant les autochtones, leurs mœurs et leurs coutumes. Ainsi la chasse indigène a-t-elle été supplantée au profit de la traite et de l'élevage. Progressivement, la poule a remplacé l'oie sauvage et, de la même manière, le bœuf a pris la place du caribou blanc.

De nos jours, la chasse n'est plus qu'un loisir. Certains chasseurs voient dans cette pratique une manière de vaincre la monotonie, alors que d'autres y trouvent une occasion de combiner expédition dans la nature et approvisionnement en viande sauvage. Quoiqu'il en soit, le gibier et la chasse demeurent une grande source d'inspiration, tant pour les conteurs que pour les gourmets.

Mais, la plus belle découverte demeure sans doute celle du goût si caractéristique du gibier.

Je te plumerai le dos et la queue et les ailes !

Modifier une habitude n'est certes pas chose facile. Et il ne saurait y avoir d'habitudes mieux ancrées que celles qui sont liées à notre alimentation. Pourtant, au fil des ans, la consommation de volailles d'élevage a remplacé celle des oiseaux sauvages. C'est ainsi que, de nos jours, il est normal, pour ne pas dire naturel, de s'approvisionner en viande sans avoir à faire le guet et à exercer notre adresse près des habitats de ces volatiles sauvages. Malgré cela, beaucoup de gens ne peuvent résister au plaisir d'aller à la chasse, y trouvant à la fois une belle occasion de prendre l'air, de se dégourdir les jambes et de rapporter à la maison un canard, quelques perdrix, ou alors des bécasses et des sarcelles, selon la saison. Car bien que le faisan, l'oie et la caille d'élevage soient maintenant vendues sur le marché, les oiseaux sauvages jouissent d'une grande popularité auprès des gourmets.

Outre sa saveur bien caractéristique, la chair des espèces sauvages renferme plus de protéines que celle de leurs cousins d'élevage. Certains spécialistes en recommandent même la consommation aux personnes souffrant d'anémie.
Le chasseur avisé devra s'armer non seulement d'un fusil mais aussi de notions de base sur le gibier à plumes, avant de partir en expédition. Le chasseur novice apprendra bien vite que quelques efforts méritoires ne suffisent pas toujours pour rapporter une venaison de première qualité. La tendreté d'une viande dépend souvent de petits trucs de chasse et d'après-chasse.
Les amateurs de venaison, qui se font chasseurs, doivent donc connaître et respecter la règle d'or selon laquelle le gibier doit être consommé le plus tôt possible après sa capture. Si cela n'est pas possible, il est préférable de congeler la viande dans des délais raisonnables, après avoir dûment plumé et évidé l'animal.
Les techniques de plumaison et de découpage du gibier à plumes sont sensiblement les mêmes que celles qui sont utilisées pour les animaux de basse-cour. Vous pouvez,

chair de l'animal, si elle se répand, un goût âcre et désagréable.

Le découpage

Le découpage du gibier à plumes s'effectue de la même manière que celui du poulet ou de la dinde. Le découpage n'est pas essentiel ; on peut en effet préférer cuire et présenter le gibier tout d'une pièce. Toutefois, il est parfois utile de préparer et de conserver quelques morceaux de viande que l'on fera décongeler rapidement au four à micro-ondes.
À l'aide d'un couteau bien aiguisé, on prélève d'abord les cuisses que l'on sépare par la suite en deux parties, soit le pilon et le haut-de-cuisse. Cette opération s'applique aux cuisses des gros volatiles. On passe ensuite au découpage des ailes. La carcasse sera ensuite divisée en deux parties, les flancs gauche et droit, en faisant suivre au couteau une ligne parallèle à celle de la colonne vertébrale. Pour terminer, on pratique une longue incision dans la poitrine pour en retirer deux morceaux de taille égale. Comme le premier coup d'aile d'un oisillon, le premier coup de couteau peut paraître difficile à donner...ce n'est là qu'une question d'expérience et d'habileté. Alors, prenez votre envol !

bien sûr, confier le découpage des viandes à un boucher. Cependant, si vous désirez le faire vous-même, sachez que le canard est, d'entre tous, l'oiseau le plus difficile à plumer.

La plumaison

La première étape de la plumaison consiste à dépouiller le corps de l'oiseau de la totalité de ses plumes. On plumera d'abord le ventre et les pattes en arrachant quelques plumes à la fois, pour poursuivre sur le dos, les ailes et le cou. Ce travail terminé, vient ensuite l'étape de l'évidage. Cette opération, bien que simple, demande certaines précautions. Par exemple, on évitera de crever la vésicule biliaire (rattachée au foie). La substance verdâtre (le fiel) contenue dans cet organe confère à la

Le gros gibier : des histoires de chasse dans votre assiette

La saveur particulière de la viande sauvage suscite, chez les amateurs, bien des commentaires élogieux. Dans cette partie de notre continent, le grand nombre de forêts et de lacs favorise la présence du gros gibier. Notre climat variable permet aussi à ces bêtes sauvages de vivre à leur rythme, au gré des saisons. Adaptés à nos froids rigoureux, le chevreuil, l'orignal et le caribou, principaux représentants des cervidés dans nos régions, peuplent nos forêts depuis des centenaires, fournissant aux amateurs une venaison exquise. Quant à l'ours, bien qu'on le chasse plus rarement de nos jours, il offre une chair succulente ; aussi jouit-il encore d'une bonne réputation auprès des connaisseurs.

Le chevreuil

Il existe plusieurs espèces et sous-espèces de chevreuil, parmi lesquelles on trouve le cerf mulet, plus répandu sur la côte du Pacifique, et le cerf de Virginie, qui a élu domicile au Québec. Gibier de première importance en Amérique du Nord, le chevreuil fournit une chair dont la réputation n'est plus à faire. Le cerf de Virginie est reconnu comme un des plus rusés de son espèce. Plus petit et plus léger que le caribou et l'orignal, le chevreuil se montre aussi méfiant que rapide. Alors qu'un mâle adulte pèse en

moyenne 115 kg (250 lb), le poids de la femelle se situe aux environs de 75 kg (160 lb).

Les principales coupes et pièces de viande que l'on peut tirer du chevreuil, de l'original et du caribou se ressemblent. La venaison peut cependant varier en qualité, selon le poids, l'âge et le sexe de l'animal. Ainsi, la viande de la femelle est réputée plus tendre que celle du mâle adulte. Par ailleurs, plusieurs prétendent que la chair plus coriace dégage une saveur plus relevée. Certains amateurs préfèrent le goût corsé de cette viande et la dégustent chaque fois avec le même plaisir.

Le cou et la poitrine sont au nombre des parties qu'il est préférable de transformer en viande hachée. On fera de même avec les jarrets et les côtes qu'on aura d'abord pris soin de désosser.

Les principales coupes sont faites selon la particularité des différentes pièces de viande. La partie qui regroupe le bout du jarret, la fesse et la croupe offre une venaison de première qualité, dont on peut tirer des rôtis, des tranches, des cubes et de la viande pour fondue. Par ailleurs, la longe et la palette contiennent aussi des pièces de choix, tels les filets et les côtelettes.

L'orignal

L'orignal, le plus gros de tous les cervidés, impressionne par sa stature. Cela ne justifie toutefois pas les exagérations dont son poids fait souvent l'objet. Il n'est pas rare d'entendre des histoires de chasse qui font état de spécimens qui, nous jure-t-on, devaient faire plus d'une tonne !.. Il faut alors diviser par deux pour obtenir le poids moyen d'un orignal adulte (400 kg). On compte plus de sept espèces d'orignaux, dont quatre sous-espèces prolifèrent en Amérique. En Europe, cette bête au panache imposant se fait appeler élan.

À l'instar du chevreuil, l'orignal fréquente les forêts mixtes de feuillus et de conifères. Selon la saison, il élit domicile dans les bois, qui regorgent de lacs et de rivières, où il peut se repaître de feuilles d'arbres et de ramilles de sapin. Si toutes les règles de la chasse ont été respectées, la tendreté de la viande du gros gibier dépendra du temps de maturation de l'animal. Nous reviendrons plus loin sur les principes de cette technique très ancienne. Si la venaison de l'orignal a sa place dans nos cuisines, son panache, lui, a la sienne au-dessus du foyer dans nombre de salons et de chalets. Ces grands bois font la fierté des chasseurs, qui y voient un trophée à leur adresse.

Le caribou

Plusieurs mythes entourent le caribou. Cela s'explique sans doute par le fait qu'il vit retiré au nord du 50e parallèle, en zone arctique. Jadis à son aise dans d'autres régions, le caribou a dû migrer vers le nord depuis quelques décennies. On impute cet exode à la dégénération de certaines forêts où poussait auparavant le lichen, sorte de mousse qui constitue un élément essentiel dans l'alimentation du caribou. Selon certains, l'abattage effréné des vieux arbres (qui favorisent la croissance du lichen) aurait entraîné cette dégénération, désormais irrémédiable. Heureusement, sa forte constitution permet à ce cervidé de survivre dans les climats de grand froid. De plus, ses sabots, plus larges que ceux du chevreuil, l'empêchent de s'enfoncer dans la neige.

Le caribou appartient à la famille du renne. On en trouve deux espèces au Canada et, de l'avis de plusieurs, le caribou de l'Est surpasse en poids et en beauté son homologue de l'Ouest. Un mâle adulte pèse entre 140 et 180 kg (300 à 400 lb), ce qui le situe entre le chevreuil et l'orignal. Le pelage du caribou le distingue des autres cervidés par sa couleur blanche et sa texture. Son poil très long a une forme tubulaire, ce qui le rend plus souple.

Les temps de gestation et la période de vêlage sont les mêmes pour tous les cervidés. C'est donc en juin qu'apparaît annuellement une nouvelle génération de caribous.

La chair du caribou, moins connue peut-être, est plus corsée que celle du chevreuil et de l'orignal. Son goût, qui ne manque pas de caractère, acquiert encore plus de relief avec un vin rouge relevé. Certains gourmets la préfèrent à toute autre comme viande pour fondue. Ce bel animal blanc a donné son nom à une boisson que consommaient traditionnellement les trappeurs et les chasseurs de retour d'une longue expédition en forêt, pendant la saison hivernale. Rares étaient les relais et les auberges qui n'accueillaient pas ces voyageurs avec un verre de «petit caribou». Ce mélange d'alcool et de vin rouge sucré avait vite fait de «réchauffer son homme». Maintenant, que sa viande le nourrisse!

L'ours

S'il est un animal qui inspire des histoires et des fables, c'est bien l'ours. Qu'il ait ou non bonne réputation, il habite notre imaginaire depuis les temps anciens. Les hommes l'ont souvent dépeint comme une bête agressive et dangereuse. Déjà, les dessins préhistoriques sur les murs de cavernes témoignaient bien de la peur que cet animal inspirait à nos ancêtres. Plus près de nous, chez les Amérindiens, l'ours a longtemps occupé une place de choix dans les légendes et les manifestations culturelles. Aussi, dans la plupart des danses et cérémonies, l'ours est-il présent sous une forme ou une autre. Certaines tribus témoignaient un grand respect à l'ours, le considérant comme un frère, un guide, «une âme d'homme réincarnée». L'ours appartient à la famille des ursidés dont différentes espèces habitent les forêts d'Amérique du Nord. Au Québec, seuls l'ours noir et l'ours blanc nous honorent de leur présence. À l'origine, l'ours était carnivore mais les transformations de son environnement l'ont graduellement poussé à se nourrir de petits fruits sauvages, de graines et de racines. Bien que sa fourrure soit très appréciée, on chasse l'ours également pour sa chair. Le jeune ours qui vient d'atteindre la maturité offrira une venaison tendre et savoureuse. Les coupes dans la longe et l'épaule offrent la venaison la plus tendre: rôtis, côtelettes, filets et tranches. On pourra braiser, griller ou pocher d'autres pièces de cette viande foncée selon leur saveur et leur tendreté. La viande d'ours doit être nettoyée avant la cuisson; elle peut être aussi fumée ou salée, hachée ou transformée en saucisses. Peu importe le mode de cuisson, la venaison gagnera toujours à être marinée, au moins 24 heures, avant d'être cuite. Les recettes de ragoût et de rôti d'ours présentées dans notre livre réussiront très certainement à convaincre les plus sceptiques que la chair de cet animal est digne des meilleurs palais.

Le lièvre

Petit gibier par excellence, le lièvre a une plus grande valeur nutritive que celle de son comparse le lapin.
Le lièvre, comme le lapin d'élevage, doit, bien sûr, être dépouillé de sa fourrure et vidé. Pour ce faire, on suspend d'abord l'animal à une corde par une des pattes postérieures. Après avoir minutieusement retiré la peau de ces léporidés, à l'aide d'un couteau bien aiguisé, il faut en nettoyer soigneusement l'intérieur, en prenant soin de ne pas crever les intestins. On conserve les rognons et le foie (après avoir détaché la vésicule biliaire) et on rejette les autres abats.

Le faisandage... la maturation

Il n'y a pas si longtemps, le faisandage était considéré comme une étape normale, voire essentielle, dans la préparation du gibier. Encore très populaire en Europe, ce procédé de maturation de la viande donne lieu à une controverse grandissante. Pour faire faisander une venaison, on suspend la carcasse de l'animal mort pendant plusieurs jours avant de le dépouiller et de l'éviscérer. Les partisans de cette technique traditionnelle la considèrent indispensable pour conférer à la venaison son goût caractéristique. Par contre, certains craignent la contamination et la putréfaction des viandes trop longtemps faisandées et préfèrent réfrigérer les carcasses avant de procéder au découpage.
Quoi qu'il en soit, la période de maturation de la venaison est une étape importante qui modifie sa saveur et sa tendreté. Il est recommandé aux chasseurs d'éviscérer (vider de ses organes internes) l'animal le plus tôt possible après sa mort. Le tout doit être accompli avec le plus grand soin, car la perforation des intestins peut entraîner une contamination des chairs de l'animal. On procédera donc à l'éviscération du gibier pour diminuer les risques de pollution bactérienne. La viande contient des enzymes naturelles qui agissent après quelques

jours de maturation. L'action de ces enzymes sur les tissus musculaires du gibier provoque une réaction chimique qui entraîne l'attendrissement graduel de la venaison. La période de maturation varie selon le poids, l'âge et l'état du gibier. Il faut évaluer aussi les effets de la température ambiante puisque la chaleur accélère ce processus.

La conservation du gibier dépend des précautions que l'on prend dès les premiers instants suivant la mort de l'animal. Afin d'éviter toute putréfaction, il faut prendre soin de laisser un bon espace entre les pièces de viande suspendues pendant la période de maturation. Un morceau de viande en contact avec un autre se décompose très rapidement et n'est plus propre à la consommation.

À l'instar du gros gibier, le petit gibier, que l'on entasse dans le coffre de la voiture ou que l'on suspend au frais, doit être par la suite bien étalé, de manière à éviter la putréfaction. À cet égard, l'étamine (coton à fromage) est un élément indispensable dans la trousse du chasseur. On peut en envelopper les pièces de viande ; l'usage du polythène est toutefois à proscrire jusqu'à l'étape de la congélation.
Une fois plumés, les oiseaux peuvent mûrir au réfrigérateur. Cependant,

une viande très fraîche peut être suspendue dans un endroit frais et bien aéré. Dans des conditions identiques, la bécasse, la bécassine et le faisan ne nécessitent que de trois à cinq jours de maturation. À la perdrix, on accorde une journée de plus qu'au canard qui mûrit aisément pendant trois jours. Quant au lièvre, une journée lui suffit.
De la carcasse du gros gibier, on obtient quatre parties lors d'un premier découpage, soit deux quartiers avant et deux arrière (les pattes étant rattachées à l'extrémité de chaque pièce). Les pièces doivent être placées dans une chambre frigorifique à une température de près de 2 °C (35 °F) et dont le taux d'humidité atteint environ 88 %. La période de séjour du gros gibier en chambre froide peut varier entre 4 et 15 jours. Les quartiers devront être lavés à l'eau froide avant la coupe finale de la viande.
Le découpage devrait être confié à des spécialistes qui disposent de l'espace et de l'équipement appropriés pour accomplir ce travail.

L'orignal, le caribou, l'ours et le chevreuil gagnent en saveur et en tendreté lorsqu'ils sont marinés. Leur venaison peut baigner plusieurs jours dans un mélange d'huile, de vin rouge, de carottes émincées, d'oignons et d'herbes aromatiques. La macération empêche aussi la putréfaction. Le petit gibier et le gibier à plumes peuvent bénéficier aussi d'une bonne période de macération. On peut substituer du vinaigre ou du vin blanc au vin rouge et recourir à des aromates différents, selon la saveur caractéristique de la chair.
Les chasseurs invétérés vous diront qu'on évalue l'état de santé d'un animal à son foie. Les traces que laissent les parasites qui logent dans les organes du gibier sont souvent visibles à l'œil nu. Mais il n'est pas toujours facile de les identifier avec exactitude. C'est pourquoi la venaison doit être soumise à des examens de spécialistes des viandes. La plupart des ministères provinciaux responsables des activités liées à la chasse et à la pêche offrent un service d'inspection sans frais. Malheureusement, il est maintenant vivement déconseillé de consommer le foie et les reins des cervidés puisque ces organes sont souvent imprégnés d'éléments polluants, comme le mercure.

Quelques règles pour bien conserver le gibier

Le nombre d'enfants par famille a considérablement diminué ces dernières années ; par conséquent, la quantité d'aliments nécessaires à la préparation d'un repas familial s'en trouve réduite. Il est fort heureux que l'on puisse conserver le gibier assez longtemps au congélateur. Imaginez votre garde-manger, converti en chambre de faisandage dans laquelle pendouilleraient carcasses d'orignal et faisans multicolores ! Enfin...loin de nous ces visions cauchemardesques et voyons comment les techniques modernes permettent de conserver les viandes.

La venaison se conserve aussi bien que n'importe quelle autre viande. Il suffit de respecter certaines règles et de prendre quelques précautions. Autrefois, les viandes séchées et salées étaient conservées des semaines, voire des mois. Aujourd'hui, c'est la congélation qui assure la conservation des viandes et en préserve la saveur.

En premier lieu, on doit vérifier si les pièces de viande à congeler ont été bien nettoyées avant de les envelopper dans un emballage approprié. Il est essentiel d'utiliser un emballage hermétique afin d'éviter toute infiltration d'air et d'humidité dans la venaison. Au contact de ces éléments, la viande peut subir des brûlures par le

froid. Le papier ciré ou la pellicule plastique (conçus pour la congélation) doublés de papier d'aluminium protègent les viandes mises au congélateur. Les sacs de polythène vidés de leur air assurent aussi une longue conservation.

Rappelons que le métal n'étant pas compatible avec le four à micro-ondes, on évitera d'utiliser des attaches faites d'un filament métallique ; les sacs à congélation destinées au four doivent être refermés au moyen d'attaches en plastique, conçues spécifiquement pour le four à micro-ondes.

Dans certains cas, il est recommandé de «surgeler» le gros gibier à une

température de -28 °C (-20°F) pendant 12 heures. Cette technique, en plus d'arrêter la prolifération bactérienne, vise à empêcher la formation de cristaux de givre dans les tissus musculaires et permet une plus longue conservation. À une température constante de -18°C (0°F), on peut conserver le gibier plusieurs mois.

À défaut d'un emballage sous vide, on peut emballer les *rôtis* dans un papier plastique, doublé d'un . papier d'aluminium, de manière à ne pas laisser entrer d'air. Les *filets* et les *côtelettes* que l'on voudra décongeler et cuire séparément au four à micro-ondes peuvent être enveloppés individuellement dans un papier ciré ou une pellicule plastique.

Les *plats cuisinés* tels les ragoûts, emballés dans un sac de polythène à l'intérieur d'un contenant de plastique rigide, peuvent être mis directement au four à micro-ondes. Pour ce, il faut perforer le sac de manière que l'excès de vapeur puisse s'en échapper.

La *viande hachée* peut être façonnée en galettes et mise à congeler dans des emballages individuels. On peut aussi séparer chaque galette d'une feuille de papier ciré et les superposer dans un emballage de papier d'aluminium.

Quant au gibier à plumes, il peut se conserver jusqu'à 7 mois au congélateur, entier ou en morceaux. Les abats peuvent être conservés 3 mois mais ils doivent être emballés séparément (sauf pour la bécassine et la bécasse qui ne nécessitent aucun vidage). Le lièvre et le lapin, pour leur part, se conservent jusqu'à 6 mois au congélateur.

Pour une saine gestion des viandes mises à congeler, il est recommandé d'apposer, sur chaque emballage, une étiquette sur laquelle seront inscrits le contenu, le poids et la date de congélation. Une viande dont l'odeur, la couleur ou le goût paraissent douteux ne devrait pas être congelée. Par ailleurs, il est préférable de placer les pièces à congeler près des parois du congélateur où le froid est plus intense.

Les calculs approximatifs provoquent parfois de bien mauvaises surprises. Aussi nous vous conseillons de consulter les tableaux de conservation des viandes ci-dessus.

Durée de conservation de la viande de gros gibier

Coupe	Au réfrigérateur	Au congélateur
Rôtis	3 jours	6 à 12 mois
Filets et côtelettes	3 jours	4 à 6 mois
Viande à ragoût	2 jours	6 mois
Viande hachée	2 jours	1 à 3 mois
Abats	1 à 2 jours	3 mois

Durée de conservation du gibier à plumes

Volatiles frais	Au réfrigérateur	Au congélateur
Cailles entières	1 à 2 jours	6 à 7 mois
Oie entière	1 à 2 jours	3 à 4 mois
Pintades entières	1 à 2 jours	3 mois (sous vide)
Volatiles cuits		
Cailles entières		1 à 3 mois
Canard entier		4 à 6 mois
Oie entière		1 à 3 mois
Pintades entières		1 à 3 mois

La décongélation

Le rythme accéléré de la vie moderne ne nous permet pas toujours d'attendre le temps qu'il faut pour effectuer la décongélation lente au réfrigérateur. Il est désormais possible de raccourcir cette période d'attente grâce aux nouvelles technologies. Le four à micro-ondes permet en effet de décongeler viandes et plats cuisinés d'une manière rapide et contrôlée. La décongélation est une étape importante dont on doit respecter les règles, si l'on veut conserver la qualité et la fraîcheur initiales de la viande. Tout comme au moment de la cuisson, il faudra s'assurer que la décongélation soit uniforme afin d'éviter que certaines parties de la viande commencent à cuire alors que d'autres ne seraient pas encore complètement décongelées. Les parties les moins charnues des pièces de viande et les extrémités des

La clayette ou plaque à bacon convient parfaitement à la décongélation et à la cuisson des viandes grâce à son fond cannelé qui empêche que des parties de la pièce de viande ne baignent dans le jus qui s'en écoule. À défaut d'un tel plat, on peut obtenir des résultats satisfaisants en mettant la viande sur une assiette placée à l'envers sur une plaque ou dans un plat. Il faudra cependant s'assurer que le jus s'écoule bien avant d'adopter cette méthode de manière permanente.

rôtis devront donc être recouvertes de papier d'aluminium afin de ralentir l'action des micro-ondes. De plus, il faudra veiller à mettre la viande sur une clayette afin qu'elle ne baigne pas dans le jus qui s'en écoule. Autrement, cela aurait pour effet d'accélérer la décongélation, voire même de provoquer la cuisson des parties ainsi exposées.

Il existe toute une panoplie de récipients et de plats convenant à la congélation et pouvant aller au four à micro-ondes. C'est le cas, par exemple, de tous les contenants en plastique de forme ronde ou carrée et de plus ou moins grande profondeur, conçus pour être utilisés au four à micro-ondes.

Certains plats offrent l'avantage de recueillir, à la manière d'une lèchefrite, les jus qui s'écoulent des viandes pendant leur cuisson. Le fond cannelé de la clayette empêche en effet les viandes de baigner dans leur jus.

Vous pouvez aussi utiliser un moule tubulaire pour la décongélation et la cuisson de la viande hachée. Comme l'énergie des micro-ondes se concentre le long du pourtour des plats, la viande se trouvant au centre est peu exposée. Or, comme toute la viande dans ce moule est disposée en cercle, l'énergie des micro-ondes y est uniformément répartie.

Décongélation du gros gibier selon la coupe et le poids

Coupe	Temps de décongélation à 50 %	Temps de décongélation à 25 %
Côtelettes, longe et croupe	15 à 19 min/kg (7 à 9 min/lb)	22 à 28 min/kg (10 à 13 min/lb)
Filets, rôtis et tranches	8 à 13 min/kg (4 à 6 min/lb)	15 à 22 min/kg (7 à 10 min/lb)
Cubes de 2,5 cm (1 po)	6 à 13 min/kg (3 à 6 min/lb)	13 à 23 min/kg (6 à 11 min/lb)
Viande hachée	6 à 11 min/kg (3 à 5 min/lb)	11 à 15 min/kg (5 à 7 min/kg)

Décongélation du petit gibier

Canard	8 à 13 min/kg (4 à 6 min/lb)	15 à 19 min/kg (7 à 9 min/lb)
Faisan	6 à 11 min/kg (3 à 5 min/lb)	8 à 13 min/kg (4 à 6 min/lb)
Oie	8 à 13 min/kg (4 à 6 min/lb)	15 à 19 min/kg (7 à 9 min/lb)
Perdrix	6 à 8 min/kg (3 à 4 min/lb)	11 à 13 min/kg (5 à 6 min/lb)
Bécasse	6 à 8 min/kg (3 à 4 min/lb)	11 à 13 min/kg (5 à 6 min/lb)
Caille	6 à 8 min/kg (3 à 4 min/lb)	11 à 13 min/kg (5 à 6 min/lb)

TRUCS

Pour une décongélation uniforme
Lors de la décongélation, diviser le temps total d'exposition aux micro-ondes en plusieurs cycles (deux ou trois) entrecoupés d'un temps de repos d'une durée correspondant au quart du temps total de décongélation.

Après les histoires de chasse, celles de la cuisine...

La cuisson au four micro-ondes suscite encore des craintes quand vient le temps de préparer un repas de viande. Et pourtant, cette technique est très efficace si on se conforme à certaines règles ; elle permet de réussir le rôtissage, le braisage et le pochage de n'importe quelle venaison de bonne qualité.

Une venaison qui a bien mûri donnera un plat savoureux lorsque cuit au four à micro-ondes.

Le temps de cuisson de la venaison

Les principes de cuisson des viandes au four à micro-ondes et sur la cuisinière traditionnelle sont les mêmes. Les temps de cuisson varient, bien sûr, selon la coupe et le poids, mais aussi selon l'âge de l'animal. De plus, la température initiale de la viande influe sur son temps de cuisson. Enfin, une viande grasse cuit plus vite qu'une autre plus maigre, les substances grasses attirant l'énergie des ondes.

La vérification du degré de cuisson

On vérifie le degré de cuisson d'une pièce de viande en se basant sur sa température interne ou sur sa tendreté. Pour évaluer le degré de cuisson d'une grosse pièce comme le rôti, il est recommandé d'utiliser une sonde thermique ou un thermomètre à viande. Certains fours à micro-ondes permettent de programmer la cuisson en fonction de la température interne de la viande. Il suffit d'insérer la sonde jusqu'au centre de la pièce et de régler la température interne correspondant au degré de cuisson désiré. Le four cessera automatiquement de fonctionner lorsque la sonde indiquera le degré de température préréglée.

A défaut d'une sonde thermique, le thermomètre à viande sera tout aussi efficace pour la vérification du degré de cuisson d'un rôti d'orignal ou de chevreuil. On prendra les mêmes précautions que pour les attaches de sacs à décongélation en se procurant un thermomètre conçu pour le four à micro-ondes.

Le degré de cuisson de la viande d'orignal, dont la coupe et la texture s'apparentent à celles du bœuf, peut varier selon les goûts. Cependant, il est conseillé de servir la venaison saignante pour en apprécier la saveur caractéristique. Si la lecture du thermomètre indique que la température interne désirée est atteinte, on retire alors la viande du four pour la laisser reposer environ dix minutes avant de servir. Cela permet la répartition uniforme de la température interne de la viande et l'écoulement des jus. Généralement, la température interne d'une pièce de viande augmente de $10°F$ pendant le temps de repos. Pour que la viande demeure bien chaude pendant cette période, la couvrir d'une feuille de papier d'aluminium, le côté brillant contre la viande. Il est important de faire reposer la viande avant de la servir si l'on veut faire ressortir toute la saveur de la venaison.

Les coupes grasses devront être délestées de leur surplus de gras avant le service. Avec un couteau bien affilé, découpez et retirez le gras et les membranes en prenant soin de ne pas déchiqueter la chair.

Par contre, la viande de gibier est habituellement moins grasse que celle des animaux d'élevage. Souvent, la venaison devra être bardée pour qu'elle ne se dessèche pas pendant la cuisson. Le bardage consiste à couvrir la surface d'une viande de morceaux de lard. On peut aussi recourir à la crépine (membrane entourant l'estomac du porc), laquelle, fine comme de la dentelle, fond rapidement. Aussi, la crépine convient-elle bien aux pièces qu'on veut servir saignantes. Celles qui exigent une cuisson plus longue devraient être recouvertes de lard plus épais.

Afin d'éviter l'écoulement des jus pendant la cuisson, badigeonnez généreusement la surface du rôti d'un

mélange de beurre et de moutarde sèche.
La dimension, la disposition et la forme des morceaux de viande, de même que les accessoires utilisés, peuvent parfois modifier la technique de cuisson au four à micro-ondes. Vous trouverez à la page suivante des petits trucs pratiques qui illustrent bien les moyens dont vous disposez pour réussir vos plats à base de viande de gibier.

Pour réussir la cuisson au four à micro-ondes

Les pièces de viande dont la forme est irrégulière doivent être placées de manière que les parties les moins charnues se trouvent au centre du plat, là où l'énergie des micro-ondes est moins intense.

Les extrémités d'un rôti de forme allongée auront tendance à cuire plus vite. Aussi, pour assurer une cuisson uniforme de la pièce, il est recommandé de les couvrir de papier d'aluminium.

L'action des micro-ondes n'étant pas toujours répartie uniformément dans le four, il est nécessaire de faire pivoter le plat d'un demi-tour à la mi-cuisson.

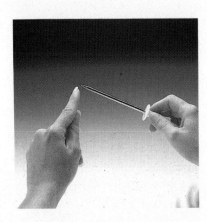

Afin d'obtenir une lecture précise de la température interne de la viande et d'en vérifier le degré de cuisson, insérer la sonde thermique dans le centre de la pièce. La pointe étant la seule partie sensible à la chaleur, s'assurer qu'elle ne touche ni à un os ni à du gras, ce qui fausserait la lecture.

À défaut de sonde thermique, enfoncer une fourchette dans le centre du morceau et l'y laisser quelques secondes. Dégager ensuite l'ustensile et le toucher avec les doigts. S'il est chaud, c'est signe que la viande est bien cuite ; s'il est tiède, la viande est saignante.

Pour favoriser l'écoulement des jus de cuisson des viandes, utiliser un récipient ayant un fond qui laisse s'accumuler le gras et le jus sans qu'ils aient de contact avec la surface de la viande. On peut aussi mettre la pièce sur une assiette renversée, placée dans le fond d'un plat.

Les techniques de cuisson

Il existe plusieurs manières de cuire les viandes. Certaines venaisons se prêtent mieux au brunissage alors que d'autres viandes seront plus savoureuses si elles ont été longuement braisées. Et le pochage conviendra aux amateurs de viande qui, contraints de limiter leur consommation de gras, se croient obligés de réduire leur alimentation carnée.

Le pochage

Le pochage est le mode de cuisson idéal pour obtenir une venaison maigre, tendre et savoureuse. Il consiste à faire cuire la viande lentement dans de l'eau, du vin, du bouillon ou du jus, le liquide étant généralement aromatisé. Ce procédé est tout indiqué pour apprêter la viande d'un vieil animal, plus coriace, qui retrouvera saveur et tendreté. Pour favoriser une cuisson uniforme, on poche le gibier en morceaux de taille égale. On obtient également des résultats convaincants en préparant le petit gibier de cette manière.

Cette technique ne requiert pas d'attentions particulières sinon la vérification du degré de chaleur qu'atteint le liquide pendant la cuisson. Le liquide de pochage ne doit pas bouillir ; sa température (que l'on peut vérifier en y plongeant un thermomètre pendant la cuisson) doit se situer autour de 80°C (175°F) et ne doit jamais excéder 85°C (185°F). On reconnaît un bouillon qui frémit aux grosses bulles qui remontent doucement du fond vers la surface et s'y brisent sans éclaboussures. Quand le pochage est terminé, on peut passer le bouillon dans un tamis pour en retenir les substances à éliminer. On pourra ensuite réduire le liquide réservé et l'incorporer à une sauce. Les pièces de gibier peuvent aussi être bardées avant d'être pochées. Dans ce cas, on procédera au dégraissage du liquide de cuisson une fois ce dernier refroidi.

Le braisage

Le civet, le ragoût et les casseroles sont tous des plats braisés. Ce mode de cuisson convient à tous les gibiers et permet de rassembler dans un même plat une variété d'aliments tous aussi succulents les uns que les autres. Le mariage de saveurs qui s'opère pendant la cuisson donne des résultats qui sauront ravir les palais les plus fins. À l'instar du pochage, le braisage vient à bout des viandes les moins tendres. Les aliments cuisent lentement, à court mouillement, dans un liquide aromatisé et enrichi des sucs de cuisson de la viande. Par la suite, cette réduction odorante peut servir à la préparation d'une sauce à saveur incomparable. On obtiendra un arôme particulier en faisant mariner la venaison avant sa cuisson. La macération, en plus de relever le goût de la viande, en assouplit les tissus.

Bien que certains plats exigent que la venaison soit coupée en morceaux plus ou moins petits, rien n'empêche par ailleurs de braiser le giber en grosse pièce, comme en témoigne la recette du cuissot de chevreuil proposée à la page 80. On peut aussi réussir le braisage d'un animal entier ainsi que le démontre la préparation des perdrix au vin rouge présentée à la page 28. Les viandes farcies s'avèrent aussi délicieuses braisées, tout comme les légumes d'accompagnement d'ailleurs. Rappelons que la venaison contient moins de gras que la viande vendue sur le marché et que, pour une cuisson prolongée, comme dans le cas du braisage, il est préférable de la barder pour éviter qu'elle se dessèche. Bien ficelées autour des pièces de venaison, les crépines de porc et les bardes de veau enduiront de gras la chair du gros et du petit gibier.

Le rôtissage

Le rôtissage des viandes est sans aucun doute la plus ancienne méthode de cuisson qui soit. Évoquant tour à tour des images de gigot embroché, rôtissant lentement au-dessus d'un feu de bois, ou de volatiles tendres et dorés sortant du four, les viandes rôties connaissent une popularité bien justifiée. La cuisson au four à micro-ondes suscite malheureusement encore certaines craintes non fondées en ce qui concerne le rôtissage des viandes. L'idée fausse qu'on se fait souvent d'une viande rôtie au four à micro-ondes est celle d'une chair de couleur fade. Il est pourtant très simple d'obtenir une venaison bien dorée. Comme cela se fait couramment avec les modes de cuisson traditionnels, il est conseillé de faire revenir la viande avant de la faire rôtir au four à micro-ondes. Pour ce faire, mettez le rôti, les filets ou les côtelettes dans un plat à rôtir préalablement chauffé pendant 7 minutes à 100 %. Versez-y ensuite un peu d'huile ou de beurre et remettez le plat au four 30 secondes. Faites alors revenir la viande dans l'huile ou le beurre sur tous ses côtés pour la faire brunir uniformément. Pour le rôtissage, transférez la viande sur une clayette dont le fond surélevé laisse s'écouler le jus et le gras.

TRUCS

Pour un rôtissage réussi

Il vous sera d'une grande utilité de connaître quelques petits trucs qui favorisent le rôtissage de la venaison. Par exemple, saviez-vous qu'une viande chambrée pendant une ou deux heures avant sa cuisson gagne en saveur et en texture ? En effet, ce léger réchauffement assouplit les chairs et favorise la circulation du jus de la viande.

Avant d'être mise au four, la venaison aura avantage à être recouverte d'une crépine de porc ou de bardes de veau, taillées en fonction de la dimension de la pièce à rôtir. Cette mesure empêchera le dessèchement en cours de cuisson.

Vous trouverez dans ce livre des recettes prévoyant le rôtissage de certaines viandes. Essayez celles de votre choix et empressez-vous de détromper les invités qui entretiendraient encore des doutes quant aux possibilités du four à micro-ondes !

Le gibier à plumes

Nos forêts abritent quantité d'oiseaux sauvages, parfaitement comestibles ; mais nos habitudes alimentaires diffèrent de celles de nos cousins d'Europe et nous les méconnaissons injustement. Cependant, le faisan, la perdrix, la caille et la bécasse occupent une place privilégiée à la table de tous les fins gourmets.

Bien que leur taille et leur forme varient, la préparation de ces oiseaux sauvages diffère peu de l'un à l'autre ; la plupart d'entre eux perdent près du quart de leur poids initial, une fois plumés et évidés. Aussi, vous faudra-t-il en tenir compte lors de l'élaboration d'un repas.

On trouve sur le marché des oiseaux d'élevage, comme la caille et le faisan, qui peuvent remplacer certaines espèces de gibier à plumes. Cependant, les connaisseurs n'attribuent pas à la chair des animaux domestiques les mérites de la venaison.

Les jeunes volatiles offrent, sans conteste, la chair la plus tendre. Mais il serait inexact de croire que la viande d'un oiseau plus âgé recèle moins de surprises. Braisées ou pochées, en effet, ces bêtes adultes retrouvent la tendreté de leur jeunesse. Les différents modes de cuisson (voir page 24) redonnent à la venaison ses qualités inhérentes. Vous rendrez les honneurs qui reviennent à cette viande, en la servant rosée. Bien apprêté, un mets de gibier à plumes donnera des ailes à vos convives !

Si vous avez déjà expérimenté la cuisson de la volaille au four à micro-ondes, celle du gibier à plumes vous paraîtra bien simple, puisque la même méthode se prête aux deux espèces. Gros ou petits, ces oiseaux savoureux rehausseront plus d'un repas.

À l'instar des autres espèces de gibier, les volatiles à la chair plus coriace gagneront à être mouillés avec un bouillon parfumé et lentement braisés à feu doux.

Les oiseaux jeunes et naturellement tendres se prêtent merveilleusement bien à la technique du rôtissage, qui conserve aux viandes leur saveur caractéristique. Afin d'en rehausser la couleur et la texture, il est conseillé de faire rissoler une viande à rôtir, avant de procéder à la cuisson comme telle au four à micro-ondes.

Rôtie, la viande du gibier à plumes se déguste de préférence rosée en son centre. Aussi vous-est-il suggéré de ne pas trop la cuire, afin d'en apprécier toute la saveur. Il n'est pas inutile de faire un petit rappel des quelques précautions à prendre quand vous ferez cuire ce gibier.

Si vous préparez un plat braisé ou un ragoût, il vous faudra veiller à couper des morceaux de taille équivalente, afin d'assurer une cuisson uniforme de la viande.

Dans le cas où vous prévoyez servir le gibier entier, les pattes, les ailerons et le bréchet devront être recouverts d'un papier d'aluminium, les parties moins charnues cuisant plus vite que les autres.

Enfin, pour assurer une cuisson uniforme des aliments, faites toujours pivoter le plat d'un demi-tour à la mi-cuisson, sauf, bien sûr, si votre four possède déjà un plateau rotatif.

Vous pourrez sans doute obtenir, d'un vieil oncle ou d'un ami chasseur, d'autres recettes et manières d'apprêter le gibier à plumes. Et, lorsque vous serez passé maître dans l'art d'apprêter le gibier, peut-être signerez-vous quelques recettes de votre propre plume !

Perdrix au vin rouge

Complexité	 (icône)
Temps de préparation	15 min
Nombre de portions	4
Valeur nutritive	653 calories 57,9 g de protéines 2,8 mg de fer
Equivalences	6 oz de viande 1 portion de légumes 4 portions de gras
Temps de cuisson	50 min
Temps de repos	10 min
Intensité	100 %, 70 %
Inscrivez ici votre temps de cuisson	

Ingrédients
4 perdrix de 450 g (1 lb)
50 ml (1/4 tasse) de beurre
sel
poivre
250 ml (1 tasse) d'oignons hachés
250 ml (1 tasse) de céleri haché
125 ml (1/2 tasse) de carottes râpées
125 ml (1/2 tasse) de vin rouge
Sauce
225 g (1/2 lb) de champignons émincés
30 ml (2 c. à soupe) de beurre fondu
30 ml (2 c. à soupe) de farine
50 ml (1/4 tasse) de crème à 15 %
225 g (1/2 lb) de bacon cuit, émietté

Préparation
— Préchauffer le plat à rôtir 7 minutes à 100 % ; ajouter le beurre et chauffer 30 secondes à 100 %.
— Saisir les perdrix et les assaisonner au goût.
— Retirer les perdrix et réserver.
— Mettre les légumes dans le plat, couvrir et cuire de 5 à 7 minutes à 100 %, en remuant 1 fois pendant la cuisson.
— Ajouter le vin rouge et remettre les perdrix, poitrines au-dessous.
— Couvrir et cuire 15 minutes à 70 %.
— Retourner les perdrix les poitrines au-dessus, et poursuivre la cuisson sans couvrir à 70 % de 15 à 20 minutes ou jusqu'à ce que les perdrix soient tendres.
— Retirer les perdrix et les laisser reposer 10 minutes au chaud.
— Pour faire la sauce, verser le fond de cuisson dans un mélangeur et actionner à haute vitesse quelques secondes pour obtenir une consistance uniforme ; réserver.
— Mettre le beurre et les champignons dans un plat, couvrir et cuire 4 minutes à 100 %.

— Saupoudrer de farine et
  bien mélanger.
— Ajouter la crème et cuire
  à 100 % de 1 à 2 minutes
  ou jusqu'à ce que la
  sauce prenne consistance,
  en remuant 1 fois en
  cours de cuisson.
— Incorporer le fond de
  cuisson déjà passé au
  mélangeur et réchauffer
  le tout de 1 à 2 minutes
  à 100 %.
— Napper les perdrix de
  cette sauce avant de
  servir.

*Cette recette permet d'apprêter les
perdrix de manière exquise. Réunir
d'abord les ingrédients nécessaires
avant d'entreprendre sa préparation.*

*Les poitrines au-dessous, remettre
les perdrix sur le mélange de
légumes et de vin rouge.*

Perdrix aux truffes

Complexité	🍴
Temps de préparation	15 min*
Nombre de portions	4
Valeur nutritive	430 calories 36,4 g de protéines 1,5 mg de fer
Équivalences	5 oz de viande 1 1/2 portion de gras
Temps de cuisson	4 min + 22 min/kg (10 min/lb)
Temps de repos	5 min
Intensité	100 %, 70 %
Inscrivez ici votre temps de cuisson	

* Les perdrix et leur farce doivent être réfrigérées pendant environ 8 heures. avant la cuisson.

Ingrédients
2 perdrix de 450 g (1 lb)
4 truffes coupées en lamelles
225 g (1/2 lb) de chair à saucisse
8 tranches de bacon
sel
poivre

Préparation
— Mettre les truffes et la chair à saucisse dans un plat, mélanger et cuire de 3 à 4 minutes à 100 %, en remuant 1 fois à la mi-cuisson et 1 autre à la fin de la cuisson.
— Laisser refroidir complètement le mélange et en farcir les perdrix.
— Réfrigérer les perdrix farcies pendant 8 heures.
— Barder les perdrix, en roulant 4 tranches de bacon autour de chacune d'elles.
— Disposer les perdrix sur une clayette et régler l'intensité du four à 70 %.
— Cuire sans couvrir, à raison de 22 min/kg (10 min/lb), soit environ 20 minutes, en faisant pivoter le plat d'un demi-tour à la mi-cuisson.
— Laisser reposer 5 minutes avant de servir.

Le parfum délicat des truffes donnera à la chair à saucisse une saveur incomparable. Cuire le mélange de ces deux ingrédients de 3 à 4 minutes à 100 % pour obtenir une farce des plus savoureuses.

Farcir les perdrix du mélange refroidi, avant de les réfrigérer pendant 8 heures.

Barder les perdrix de bacon avant de les disposer sur une clayette et de les cuire.

Choucroute à la perdrix

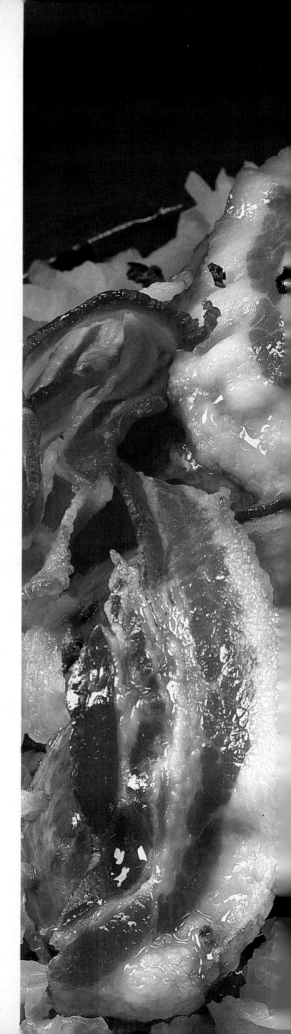

Complexité	🍴
Temps de préparation	15 min*
Nombre de portions	4
Valeur nutritive	394 calories 30,7 g de protéines 1,5 mg de fer
Équivalences	3 oz de viande 2 portions de légumes 1 1/2 portion de gras
Temps de cuisson	24 min
Temps de repos	5 min
Intensité	100 %, 70 %
Inscrivez ici votre temps de cuisson	

* La choucroute doit être égouttée pendant 1 heure avant de cuire.

Ingrédients

2 perdrix de 450 g (1 lb)
500 ml (2 tasses) de choucroute
8 tranches de bacon
50 ml (1/4 tasse) de beurre
1 oignon haché
250 ml (1 tasse) de vin blanc
8 grains de genièvre
sel
poivre

Préparation

— Rincer la choucroute au moins 4 fois à l'eau froide pour lui enlever son goût vinaigré.
— Laisser égoutter la choucroute pendant 1 heure.
— Pendant ce temps, barder les perdrix, en roulant 4 tranches de bacon autour de chacune d'elles ; réserver.
— Mettre le beurre dans un plat avec l'oignon ; cuire 2 minutes à 100 %.
— Incorporer la choucroute, le vin et le genièvre ; assaisonner au goût.
— Disposer les perdrix sur ce mélange, les poitrines au-dessous.
— Couvrir et cuire 10 minutes à 70 %.
— Retourner les perdrix, poitrines au-dessus, et poursuivre la cuisson sans couvrir à 70 % de 8 à 12 minutes ou jusqu'à ce qu'elles soient tendres.
— Laisser reposer 5 minutes avant de servir.

Perdrix au chou

Complexité	
Temps de préparation	20 min
Nombre de portions	4
Valeur nutritive	474 calories 53,8 g de protéines 1,5 mg de fer
Équivalences	5,5 oz de viande 1 portion de légumes 1/2 portion de gras
Temps de cuisson	39 min
Temps de repos	10 min
Intensité	100 %, 70 %
Inscrivez ici votre temps de cuisson	

Ingrédients
4 perdrix de 450 g (1 lb)
1 gros chou
50 ml (1/4 tasse) de beurre
5 oignons hachés
2 ml (1/2 c. à thé) de thym
sel
poivre
1 boîte de 284 ml (10 oz) de consommé de bœuf
60 ml (2 oz) de cognac

Préparation
— Préchauffer le plat à rôtir 7 minutes à 100 %.
— Pendant ce temps, hacher le chou et mettre de côté.
— Dans un plat, chauffer le beurre 30 secondes à 100 %.
— Saisir les perdrix et les retirer.
— Incorporer le chou, les oignons et le thym au beurre fondu ; saler et poivrer au goût.
— Disposer les perdrix sur ce mélange, poitrines au-dessous.
— Couvrir et cuire 15 minutes à 70 %.
— Ramener les perdrix du centre vers l'extérieur, et les retourner poitrines au-dessus.
— Poursuivre la cuisson sans couvrir à 70 % de 15 à 20 minutes ou jusqu'à ce que les perdrix soient tendres.
— Retirer les perdrix et les laisser reposer 10 minutes au chaud.
— Verser le consommé et le cognac dans le plat ; chauffer de 3 à 4 minutes à 100 %, en remuant 2 fois pendant la cuisson.
— Servir les perdrix nappées de la sauce et accompagnées de chou.

34

Rassembler les perdrix, les légumes, le beurre et les ingrédients liquides pour confectionner ce plat délicieux. Évidemment, ne pas oublier les condiments.

Dans un plat à rôtir, saisir les perdrix dans le beurre préalablement chauffé à 100 % pendant 30 secondes puis les retirer.

Incorporer le chou haché, les oignons et le thym. Disposer les perdrix sur le mélange, poitrines au-dessous.

Perdrix aux fèves au lard

Complexité	
Temps de préparation	20 min*
Nombre de portions	8
Valeur nutritive	466 calories 24,4 g de protéines 5,2 mg de fer
Équivalences	3,5 oz de viande 1 portion de légumes 4 portions de gras
Temps de cuisson	3 h 20 min
Temps de repos	5 min
Intensité	100 %, 50 %
Inscrivez ici votre temps de cuisson	

* **Les haricots doivent tremper pendant 12 heures avant la préparation de cette recette.**

Ingrédients
2 perdrix de 450 g (1 lb)
450 g (1 lb) de haricots blancs
125 ml (1/2 tasse) de mélasse
225 g (1/2 lb) de lard salé, taillé en cubes
50 ml (1/4 tasse) de ketchup
2 oignons hachés
350 ml (12 oz) de bière
30 ml (2 c. à soupe) de moutarde sèche
sel
poivre
eau

Préparation
— Dans un grand plat, faire tremper les haricots pendant 12 heures dans suffisamment d'eau pour les recouvrir.
— Sans retirer l'eau, couvrir le plat et cuire les haricots à 100 % 40 minutes, ou jusqu'à ce que l'écorce des haricots soit fendue.
— Retirer 500 ml (2 tasses) d'eau des haricots et la réserver.
— Ajouter tous les autres ingrédients et assaisonner au goût ; recouvrir ce mélange de l'eau réservée.
— Couvrir le plat et cuire 30 minutes à 100 %.
— Remuer le mélange et diminuer l'intensité à 50 % ; cuire 1 1/2 heure, en remuant toutes les 30 minutes.
— Ficeler les perdrix et les enfoncer dans le mélange de haricots.
— Couvrir à nouveau et poursuivre la cuisson à 50 % de 30 à 40 minutes ou jusqu'à ce que les perdrix soient tendres, en prenant soin de les déplacer après 20 minutes de cuisson.
— Laisser reposer 5 minutes avant de servir.

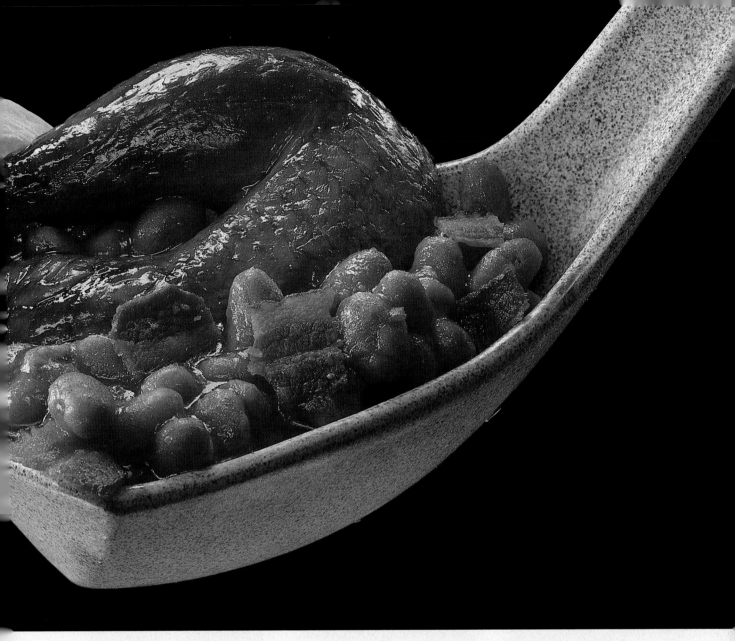

Cette variété d'ingrédients
s'harmonise parfaitement pour
composer un plat des plus exquis.

Dans un grand plat, faire tremper
les haricots pendant 12 heures dans
suffisamment d'eau pour les
recouvrir.

Enfoncer les perdrix ficelées dans le
mélange de haricots avant la
dernière étape de la cuisson.

37

Faisan au bourgogne

Complexité	(icône)
Temps de préparation	20 min
Nombre de portions	6
Valeur nutritive	300 calories 29,4 g de protéines 2,5 mg de fer
Équivalences	3,5 oz de viande 1/2 portion de légumes 1 portion de gras
Temps de cuisson	33 min
Temps de repos	5 min
Intensité	100 %, 70 %
Inscrivez ici votre temps de cuisson	(icône)

TRUCS

Pour une cuisson uniforme
Les parties les moins charnues des viandes auront tendance à cuire plus vite que les autres. Aussi, pour en ralentir la cuisson, est-il recommandé de les couvrir de papier d'aluminium, qui ne laisse pas passer les micro-ondes. Dans le cas d'une volaille, on protégera ainsi les pattes, les ailes et le bréchet. On camouflera aussi les parties osseuses des grosses pièces de venaison pour empêcher leur dessèchement et leur surcuisson.

Ingrédients
1 faisan coupé en
6 morceaux
125 ml (1/2 tasse) de bourgogne rouge
50 ml (1/4 tasse) de beurre
50 ml (1/4 tasse) de cognac
2 carottes émincées
1 branche de céleri émincée
3 oignons émincés
1 tomate pelée et coupée en quatre
125 ml (1/2 tasse) d'eau
450 g (1 lb) de champignons émincés
30 ml (2 c. à soupe) de fécule de maïs délayée dans 50 ml (1/4 tasse) d'eau froide

Préparation
— Préchauffer le plat à rôtir 7 minutes à 100 %, y mettre le beurre et chauffer 30 secondes à 100 %.
— Saisir les morceaux de faisan.
— Chauffer le cognac 30 secondes à 100 % et l'enflammer.
— Verser le cognac dans le plat pour flamber le faisan, puis y ajouter les carottes, le céleri, les oignons, les quartiers de tomate, le vin et l'eau.
— Couvrir et cuire 15 minutes à 70 %.
— Déplacer les morceaux de faisan et remuer les légumes, puis ajouter les champignons.
— Couvrir à nouveau et poursuivre la cuisson à 70 % de 10 à 15 minutes ou jusqu'à ce que la viande soit cuite.
— Retirer les morceaux de faisan, puis couvrir et laisser reposer 5 minutes.
— Incorporer la fécule de maïs délayée au fond de cuisson et chauffer à 100 % de 1 à 2 minutes, en remuant 2 fois.
— Napper les morceaux de faisan de cette sauce avant de servir.

Faisan à la basquaise

Complexité	 (icône)
Temps de préparation	20 min
Nombre de portions	4
Valeur nutritive	441 calories 48,3 g de protéines 3,6 mg de fer
Equivalences	5 oz de viande 1 portion de légumes 1 portion de gras
Temps de cuisson	1 h 28 min
Temps de repos	10 min
Intensité	100 %, 70 %
Inscrivez ici votre temps de cuisson	

Ingrédients
1 faisan bardé
500 ml (2 tasses) de vin blanc
1 l (4 tasses) de bouillon de poulet
2 oignons émincés
2 carottes émincées
1 branche de céleri émincée
un bouquet garni
sel
poivre

Sauce
45 ml (3 c. à soupe) de farine
45 ml (3 c. à soupe) de beurre
1 jaune d'œuf
15 ml (1 c. à soupe) de jus de citron

Préparation
— Dans une cocotte, réunir le vin, le bouillon, les oignons, les carottes, le céleri et le bouquet garni ; porter à ébullition en chauffant de 10 à 12 minutes à 100 %.
— Assaisonner au goût et déposer le faisan sur le mélange, poitrine au-dessous.
— Couvrir et cuire 30 minutes à 70 %.
— Retourner le faisan, poitrine au-dessus ; couvrir à nouveau et poursuivre la cuisson à 70 % de 30 à 40 minutes ou jusqu'à ce que le faisan soit tendre.
— Retirer le faisan et le laisser reposer 10 minutes au chaud.
— Pour faire la sauce, verser le fond de cuisson dans un mélangeur et actionner à haute vitesse quelques secondes pour obtenir une consistance uniforme ; réserver.
— Fondre le beurre 1 minute à 100 % et incorporer la farine ; ajouter au contenu du mélangeur et actionner à nouveau quelques secondes.

— Verser la sauce dans un plat et chauffer de 4 à 6 minutes à 100 %, en remuant toutes les 2 minutes.
— En fouettant constamment le jaune d'œuf, y incorporer le jus de citron et ajouter 30 ml (2 c. à soupe) de sauce chaude.
— Ajouter ce mélange à la sauce.
— Débarder le faisan et le répartir en portions égales.
— Napper de la sauce obtenue avant de servir.

TRUCS

Les vins d'accompagnement
Un bon vin sait relever un bon plat ! Il apparaît difficile de dresser une liste des meilleurs vins d'accompagnement du gibier, mais il est bon de savoir que certains types de vin rehaussent, mieux que d'autres, la saveur de la venaison.
Le goût spécialement relevé d'une viande de gros gibier accueillera à merveille un vin rouge assez corsé.
La plupart des volatiles s'accomoderont aussi d'un vin rouge plus doux ou d'un blanc sec.
On privilégiera le vin blanc si la sauce d'accompagnement de la viande en contient déjà.
À chacun ses préférences, mais, qu'on préfère le rouge ou le blanc, on choisira un vin *sec*.

Faisan royal

Complexité	🍴🍴
Temps de préparation	30 min
Nombre de portions	4
Valeur nutritive	330 calories 42,8 g de protéines 2,6 mg de fer
Équivalences	3 oz de viande 1 portion de légumes 2 portions de gras
Temps de cuisson	36 min
Temps de repos	10 min
Intensité	70 %, 100 %
Inscrivez ici votre temps de cuisson	

Ingrédients

1 faisan de 900 g (2 lb)
sel
poivre
1 pincée de romarin
4 feuilles de vigne
2 fines tranches de lard salé
1 oignon finement haché
1/2 carotte coupée en dés
1 branche de céleri coupée en dés
1 boîte de 284 ml (10 oz) de consommé de bœuf

Sauce

30 ml (2 c. à soupe) de beurre
30 ml (2 c. à soupe) de farine
15 ml (1 c. à soupe) de gelée de groseille
60 ml (2 oz) de madère

Préparation

— Assaisonner l'intérieur du faisan de sel, de poivre et de romarin.
— Mettre les feuilles de vigne sur la poitrine du faisan et disposer les tranches de lard sur le dessus du faisan.
— Ficeler le faisan et le déposer dans un plat.
— Disposer les légumes autour du faisan et verser 125 ml (1/2 tasse) de consommé non dilué.
— Sans couvrir, cuire 10 minutes à 70 %.
— Déficeler le faisan puis retirer le lard et les feuilles de vigne.

⟹

Faisan royal

Cette recette de faisan royal impressionnera tous vos invités. Voici les ingrédients qu'il faut réunir avant de la préparer.

Assaisonner l'intérieur du faisan de sel, de poivre et de romarin.

Ficeler le faisan garni des feuilles de vigne et des tranches de lard, le déposer dans un plat, puis disposer les légumes tout autour.

Après la première étape de la cuisson, déficeler le faisan et retirer le lard et les feuilles de vigne.

Couvrir et laisser reposer le faisan et les légumes 10 minutes ; pendant ce temps, préparer la sauce.

Incorporer le fond de cuisson et ce qui reste de consommé de bœuf au beurre et à la farine ; cuire de 2 à 3 minutes à 100 % avant d'incorporer la gelée de groseille et le madère.

— Pour faire la sauce, fondre le beurre dans un plat et chauffer 45 secondes à 100 % ; ajouter la farine et bien mélanger.
— Incorporer le fond de cuisson et ce qui reste de consommé.

— Cuire le tout de 2 à 3 minutes à 100 %, en remuant 1 fois pendant la cuisson.
— Ajouter la gelée de groseille et le madère, et cuire à 100 % de 1 à 2 minutes, ou jusqu'à ce que le mélange prenne

consistance, en remuant 1 fois pendant la cuisson.
— Retirer les pattes du faisan et le répartir en portions égales.
— Servir accompagné du mélange de légumes et de la sauce.

Aromates et épices pour le gibier

Est-il possible d'imaginer un seul instant un plat de viande qui ne soit relevé d'une manière ou d'une autre par la magie des aromates? Évidemment, la notion d'assaisonnement dépasse le traditionnel tandem que forment le sel et le poivre. L'art d'épicer les mets exige une certaine expérience certes, mais aussi une grande finesse. En cuisine, le choix judicieux des condiments est, ni plus ni moins, qu'un art, puisqu'il existe une panoplie impressionnante d'herbes, de graines et de petits fruits pouvant être utilisés.

En pratique, le terme *aromate* désigne toute substance utilisée dans une préparation culinaire pour en relever la saveur. Que ce soit dans le but d'adoucir ou d'aciduler un plat, les aromates s'avèrent à la fois utiles et agréables.

Lorsqu'on ajoute ces mêmes substances au moment de servir, elles deviennent des *condiments*.

Il est intéressant de noter que l'ensemble des aromates et condiments, à l'exception du sel, sont d'origine végétale.

On peut en regrouper quelques-uns selon certaines caractéristiques communes.

Aromates doux : laurier, genièvre, romarin, cerfeuil, fenouil, estragon, basilic, sauge, persil, anis, sarriette, menthe, thym, marjolaine.
Aromate âcres : cumin, coriandre, safran, poivre, cannelle, clou de girofle, muscade.

La classification des condiments peut aussi s'effectuer de la manière suivante :
Condiments acides : vinaigre, jus de citron, etc.
Condiments âcres : ail, oignons verts, ciboule, oignon, moutarde, raifort.
Condiments âcres et aromatiques : zeste de citron ou d'orange, cacao, café, poivre, paprika, piment, gingembre.
Condiments gras : huile, beurre, graisse.
Condiments composés : sauces anglaises préparées, ketchups, cari, moutardes composées, sauce soja, etc.

Parmi les épices convenant bien au gibier, on trouve le laurier, irremplaçable pour rehausser un plat braisé. La marjolaine et les fines herbes (mélange de cerfeuil, de ciboulette, de persil et d'estragon) relèveront délicieusement la saveur des viandes braisées et rôties. Surprenante, la muscade transforme un simple pain de viande en mets exquis. Ajoutez-y de l'origan et... attendez les commentaires de vos amis. Avec toutes les coupes, vous pourrez utiliser l'aneth, le cari et le romarin. Réservez le thym pour les plats de foie, une révélation !

Poitrines de canard au cidre

Complexité	🍴
Temps de préparation	10 min
Nombre de portions	4
Valeur nutritive	460 calories 27,4 g de protéines 4,4 mg de fer
Équivalences	3 oz de viande 1/2 portion de fruits 4 portions de gras
Temps de cuisson	17 min
Temps de repos	5 min
Intensité	100 %, 70 %
Inscrivez ici votre temps de cuisson	🍎

Ingrédients
4 demi-poitrines de canard
50 ml (1/4 tasse) de beurre
185 ml (6 oz) de cidre
250 ml (1 tasse) de crème à
35 %
30 ml (2 c. à soupe) de
gelée de pomme
sel
poivre

Préparation
— Préchauffer le plat à rôtir
7 minutes à 100 %, y
mettre le beurre et
chauffer 30 secondes à
100 %.
— Saisir les poitrines de
canard.
— Diminuer l'intensité à
70 % et cuire à découvert
6 minutes.

— Déplacer les poitrines
qui sont au centre du
plat vers l'extérieur et
poursuivre la cuisson à
70 % de 6 à 8 minutes
ou jusqu'à ce que les
poitrines soient cuites.
— Retirer les poitrines et
les laisser reposer
5 minutes au chaud.
— Pendant ce temps, faire
la sauce en versant
d'abord le cidre dans le
plat pour le déglacer.
— Ajouter la crème et la
gelée de pomme puis
fouetter vigoureusement.
— Augmenter l'intensité à
100 % et cuire 2 à
3 minutes ou jusqu'à ce
que le mélange soit
chaud mais sans avoir

atteint le point d'ébul-
lition, en remuant toutes
les minutes.
— Passer la sauce au tamis
fin et assaisonner au
goût.
— Napper les poitrines de
la sauce avant de servir.

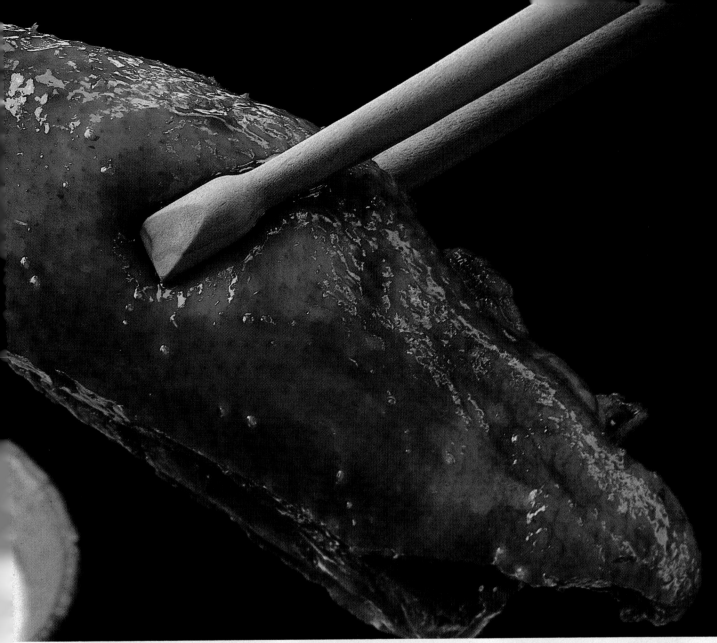

Il suffit de réunir ces quelques ingrédients pour réussir la préparation des poitrines de canard au cidre, une recette de gibier toujours appréciée.

Entre les deux étapes de leur cuisson, déplacer les poitrines qui sont au centre du plat vers l'extérieur pour obtenir une cuisson uniforme.

Après avoir retiré les poitrines, déglacer avec le cidre pour préparer la sauce.

47

Canard aux pommes

Complexité	
Temps de préparation	20 min
Nombre de portions	12
Valeur nutritive	276 calories 27,2 g de protéines 3,4 mg de fer
Équivalences	4 oz de viande 1 portion de fruits
Temps de cuisson	1 h 05 min
Temps de repos	5 min
Intensité	70 %
Inscrivez ici votre temps de cuisson	

Ingrédients
1,3 kg (3 lb) de canards
4 pommes, pelées et tranchées
2 oignons hachés
sel
poivre
50 ml (1/4 tasse) de sauce H-P
250 ml (1 tasse) de bourgogne rouge

Préparation
— Farcir les canards avec les pommes et la moitié des oignons ; saler et poivrer, et piquer la peau avec une fourchette à plusieurs endroits.
— Brider les canards.
— Badigeonner les canards et les disposer sur une clayette, poitrines au-dessous.
— Sans couvrir, cuire 30 minutes à 70 %.
— Retirer les canards et enlever la clayette ; éliminer le gras de cuisson.
— Verser le vin dans le plat et y mettre ce qui reste des oignons.
— Remettre les canards dans le plat, poitrines au-dessus.
— Couvrir et cuire à 70 % de 25 à 35 minutes ou jusqu'à ce que les canards soient cuits.
— Retirer les canards et les mettre dans un autre plat ; couvrir et laisser reposer 5 minutes.
— Pendant ce temps, passer la sauce au tamis et l'assaisonner au goût ; si elle n'est pas assez consistante, l'épaissir en y ajoutant 22 ml (1 1/2 c. à soupe) de fécule de maïs délayée dans un peu d'eau froide.
— Servir les canards accompagnés de la sauce.

La saveur des pommes se marie agréablement à celle du canard. Voici les ingrédients qu'il faut réunir avant d'entamer la préparation de cette recette.

En premier lieu, farcir les canards avec les pommes et la moitié des oignons.

TRUCS

La décongélation et la cuisson des boulettes de viande

Pour que la décongélation ou la cuisson des boulettes soit uniforme, placer les plus grosses d'entre elles à l'extérieur du plat.
Si elles sont d'égale grosseur, les disposer vers les parois extérieures du plat.

Canard rôti, farci aux huîtres

Complexité	
Temps de préparation	30 min
Nombre de portions	8
Valeur nutritive	354 calories 30,8 g de protéines 5,1 mg de fer
Équivalences	3,5 oz de viande 1 portion de légumes 1/2 portion de pain 1 portion de gras
Temps de cuisson	1 h 09 min
Temps de repos	5 min
Intensité	100 %, 70 %
Inscrivez ici votre temps de cuisson	

Ingrédients

2 canards de 900 g (2 lb)
sel
poivre
1 oignon haché
2 gousses d'ail hachées
2 ml (1/2 c. à thé) de thym
5 ml (1 c. à thé) de persil
paprika

Farce aux huîtres

250 ml (1 tasse) d'huîtres, avec leur jus
50 ml (1/4 tasse) de beurre
2 oignons finement hachés
mie de 4 tranches de pain, rôties et broyées
2 ml (1/2 c. à thé) de thym
5 ml (1 c. à thé) de persil

Préparation

— Préparer d'abord la farce : hacher les huîtres et les mélanger à tous les autres ingrédients de la farce additionnés de 30 ml (2 c. à soupe) du jus des huîtres. Cuire de 3 à 4 minutes à 100 %, en remuant 1 fois pendant la cuisson ; réserver.
— Saler et poivrer l'intérieur des canards et piquer la peau avec une fourchette à plusieurs endroits.
— Farcir les canards et les brider pour qu'ils

Cette recette originale fera découvrir aux amateurs de canard un nouvel agencement de saveurs. Voici les ingrédients nécessaires à sa préparation.

En premier lieu, préparer la farce. Pour ce faire, hacher les huîtres et mélanger avec tous les autres ingrédients de la farce.

Saler et poivrer l'intérieur des canards avant de piquer la peau avec une fourchette à plusieurs endroits.

Farcir les canards du mélange.

Brider les canards, pour qu'ils conservent leur forme pendant la cuisson.

Les canards doivent être placés poitrines au-dessous pour la première étape de la cuisson.

conservent leur forme pendant la cuisson.
— Mettre les canards farcis dans un plat, poitrines au-dessous.
— Mélanger l'oignon, l'ail, le thym et le persil; disposer tout autour des canards.
— Ajouter de l'eau à ce qui reste du jus des huîtres

pour obtenir 250 ml (1 tasse) et verser sur les légumes.
— Saupoudrer les canards de paprika.
— Couvrir et cuire 30 minutes à 70 %.
— Retourner les canards sur eux-mêmes, poitrines au-dessus; remuer les légumes.

— Saupoudrer à nouveau les canards de paprika si nécessaire.
— Sans couvrir, poursuivre la cuisson à 70 % de 25 à 35 minutes ou jusqu'à ce que les canards soient cuits.
— Laisser reposer 5 minutes avant de servir avec les légumes.

Cailles chasseur

Complexité	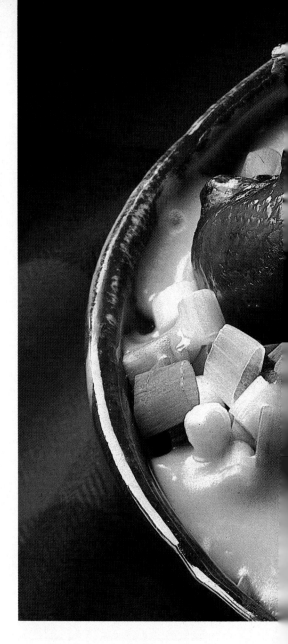 (icône)
Temps de préparation	15 min
Nombre de portions	2
Valeur nutritive	455 calories 25,7 g de protéines 14,4 g de lipides
Équivalences	4 oz de viande 1 portion de légumes 3 portions de gras
Temps de cuisson	20 min
Temps de repos	3 min
Intensité	100 %, 70 %
Inscrivez ici votre temps de cuisson	

Ingrédients
4 cailles bridées
50 ml (1/4 tasse) de beurre
3 oignons verts hachés
30 ml (2 c. à soupe) de farine
125 ml (1/2 tasse) d'eau
125 ml (1/2 tasse) de vin blanc
15 ml (1 c. à soupe) de jus de citron
sel
poivre

Préparation
— Préchauffer le plat à rôtir 7 minutes à 100 %, y mettre le beurre et chauffer 30 secondes à 100 %.
— Saisir les cailles, puis les retirer ; réserver.
— Ajouter les oignons verts et saupoudrer de farine ; bien mélanger.
— Incorporer l'eau et le vin blanc.
— Cuire le tout de 3 à 4 minutes à 100 %, en remuant toutes les minutes.
— Assaisonner au goût et remettre les cailles sur le mélange, poitrines au-dessous.
— Arroser de jus de citron, couvrir, diminuer l'intensité à 70 % et cuire 6 minutes.
— Ramener les cailles qui sont au centre du plat vers l'extérieur et les retourner, poitrines au-dessus.
— Sans couvrir, poursuivre la cuisson à 70 % de 8 à 10 minutes ou jusqu'à ce que les cailles soient tendres.
— Remuer vigoureusement la sauce pour bien la mélanger et laisser reposer 3 minutes.
— Napper les cailles de sauce avant de servir.

TRUCS

Dames de compagnie : les sauces

Ce n'est un secret pour personne : les sauces font le plat ! En respectant quelques règles de la cuisson au four à micro-ondes, ces sauces se transformeront en véritables petits chefs-d'œuvre.

Le secret des meilleures sauces relève d'un principe bien simple : celui d'utiliser les carcasses et les parties inutiles du gibier pour en faire un fond, base de sauce excellente.

Outre les os et les carcasses, plusieurs ingrédients peuvent être incorporés au fond ; des légumes tels les carottes et les oignons, ainsi que des herbes aromatiques, y ajouteront un parfum délicat. Si un liant doit être adjoint à ce fond, en vérifier la consistance durant la cuisson ; ouvrir la porte du four à quelques reprises pour brasser le liquide à l'aide d'un fouet, afin d'empêcher la formation de grumeaux.

Prendre garde de ne pas masquer le goût des mets avec des sauces mal assaisonnées. La chair du gibier, appréciée pour sa saveur caractéristique, perdrait à être noyée dans une garniture trop lourde. La crème et le vin s'associent merveilleusement dans les sauces d'accompagnement du gibier.

Marinades

Ingrédients
1 l (4 tasses) de vin rouge
60 ml (4 c. à soupe) d'huile
1 carotte émincée
1 oignon émincé
2 gousses d'ail coupées en deux
1/2 branche de céleri
1 feuille de laurier
1 tige de thym
4 tiges de persil
12 grains de poivre

Préparation
— Mélanger tous les ingrédients, en prenant soin de ne pas ajouter de sel.
— Laisser macérer au réfrigérateur.
Un petit conseil:
— Pour macérer les pièces de gibier plus âgé, ajouter 45 ml (3 c. à soupe) de vinaigre à cette marinade.

Marinade sèche

Ingrédients
1 carotte émincée
1 oignon émincé
1 feuille de laurier
4 branches de céleri
1 branche de thym

Préparation
— Mettre la moitié des légumes dans un plat et y déposer la viande à mariner.
— Ajouter les assaisonnements, puis ce qui reste des légumes.
— Laisser macérer de 3 à 4 heures au réfrigérateur.

Note Cette marinade est utilisée pour atténuer le goût prononcé de certains gibiers.

Marinade pour orignal

Ingrédients
250 ml (1 tasse) d'huile d'olive
125 ml (1/2 tasse) de jus de citron, ou 250 ml (1 tasse) de vin rouge
1 feuille de laurier, ail, moutarde sèche ou oignon, au goût

Préparation
— Mélanger tous les ingrédients et verser sur la viande.
— Laisser macérer 24 heures au réfrigérateur.

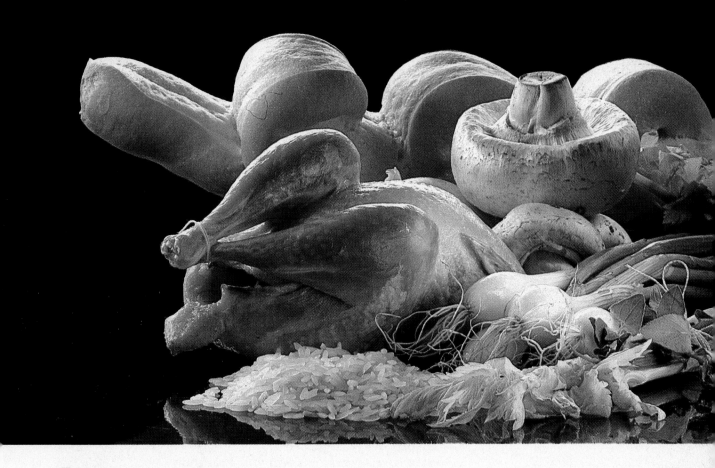

Farces
d'accompagnement

Farce d'abats pour canard

Ingrédients
foie, cœur et gésier d'un
canard
500 ml (2 tasses) de mie de
pain
2 œufs
ail, au goût
oignon, au goût
sarriette
marjolaine

Préparation
— Passer les abats au
  hachoir.
— Ajouter la mie de pain et
  les œufs; bien mélanger.
— Si désiré, ajouter de
  l'ail et de l'oignon;
  assaisonner.
Note Un canard de
dimension moyenne requiert
environ 375 ml (1 1/2 tasse)
de farce.

Farce fine

Ingrédients
450 g (1 lb) de veau maigre
225 g (1/2 lb) de porc
maigre
125 ml (1/2 tasse) de vin
blanc
15 ml (1 c. à soupe) de
brandy
125 ml (1/2 tasse) de mie
de pain
1 œuf
250 ml (1 tasse) de crème à
35 %
30 ml (2 c. à soupe) de
persil
sel
poivre

Préparation
— Tailler la viande en fines
  lanières.
— Arroser de vin et de
  brandy.
— Laisser macérer 1 heure,
  en remuant de temps à
  autre.
— Ajouter la mie de pain à
  la viande et passer le
  tout au hachoir.
— Recommencer l'opération
  afin d'obtenir une farce
  très fine.
— Incorporer l'œuf et la
  crème au mélange et
  remuer.
— Ajouter le persil
  et rectifier
  l'assaisonnement si désiré.

Sauces d'accompagnement pour canard

Sauce au consommé de bœuf

Ingrédients
fond de cuisson obtenu
après avoir préparé un
canard (recettes aux pages
48 et 52)
1 boîte de 284 ml (10 oz) de
consommé de bœuf
50 ml (1/4 tasse) de cognac
ou de jus de citron

Préparation
— Incorporer le consommé
   et le cognac ou le jus de
   citron au fond de
   cuisson.
— Déglacer et cuire à
   100 % jusqu'à ce que le
   mélange soit chaud, en
   remuant à quelques
   reprises.
— Passer la sauce au tamis
   fin.

Sauce aux champignons

Ingrédients
fond de cuisson obtenu
après avoir préparé un
canard (recettes aux pages
48 et 52)
125 ml (1/2 tasse) de vin
blanc
115 g (4 oz) de champignons
émincés
250 ml (1 tasse) de crème à
35 %

Préparation
— Déglacer le fond de
   cuisson avec le vin
   blanc.
— Ajouter les champignons
   et cuire 2 à 3 minutes à
   100 %.
— Retirer les champignons
   et les réserver.
— Ajouter la crème et
   poursuivre la cuisson à
   100 % de 2 à 3 minutes,
   en remuant toutes les
   minutes.
— Diminuer l'intensité à
   50 % et chauffer pendant
   10 minutes, en remuant
   toutes les 2 minutes.
— Remettre les
   champignons et bien
   mélanger.

Oie aux pommes

Complexité	🍴🍴
Temps de préparation	30 min
Nombre de portions	15
Valeur nutritive	383 calories 26,1 g de protéines 3,2 mg de fer
Équivalences	4 oz de viande 1 portion de fruits 1/2 portion de gras
Temps de cuisson	2 h
Temps de repos	10 min
Intensité	100 %, 70 %
Inscrivez ici votre temps de cuisson	

Ingrédients

4 kg (9 lb) d'oies
250 ml (1 tasse) de céleri émincé
250 ml (1 tasse) d'oignon finement haché
900 g (2 lb) de pommes
poivre
50 ml (1/4 tasse) de beurre
paprika
125 ml (1/2 tasse) de cidre

Préparation

— Farcir l'oie avec le céleri et l'oignon.
— Brider l'oie et la poivrer.
— Peler les pommes et les couper en quatre.
— Mettre l'oie dans un plat, poitrine au-dessous.
— Disposer les quartiers de pommes tout autour.
— Fondre le beurre 1 minute à 100 %.
— Verser doucement la moitié du beurre fondu sur l'oie.
— Couvrir et cuire 1 heure à 70 %.
— Faire pivoter le plat d'un demi-tour, et retourner l'oie sur elle-même, poitrine au-dessus.
— Verser ce qui reste de beurre fondu sur l'oie et saupoudrer de paprika.
— Sans couvrir, poursuivre la cuisson à 70 % 1 heure ou jusqu'à ce que l'oie soit cuite, en l'arrosant de cidre toutes les 15 minutes.
— Laisser reposer 10 minutes avant de servir.

TRUCS

Bouquet garni
Placer le mélange de thym, d'ail, de persil, de sarriette, de laurier, de sauge et de marjolaine, pour ne nommer que ces aromates, dans les cavités de deux branches de céleri se faisant face ou dans un morceau d'étamine (coton à fromage) rabattu en petit sac. Ensuite, ficeler solidement.

Les légumes d'accompagnement
Certains légumes accompagnent particulièrement bien le gibier. La pomme de terre se retrouve souvent sur nos tables, pour accompagner les viandes. On peut la présenter pilée, rôtie ou au four.
Les légumes verts, crus ou cuits, peuvent se marier délicatement avec la venaison. Les courgettes très douces conviennent davantage à la chair blanche du petit gibier. Les champignons sont des séducteurs: ils ont depuis longtemps gagné l'estime des gourmets. Éviter de trop cuire les légumes.

Ragoût d'oie

Complexité	
Temps de préparation	20 min
Nombre de portions	6
Valeur nutritive	350 calories 34,8 g de protéines 5,8 mg de fer
Équivalences	4 oz de viande 1 portion de légumes 1/2 portion de gras
Temps de cuisson	52 min
Temps de repos	5 min
Intensité	100 %, 70 %
Inscrivez ici votre temps de cuisson	

Ingrédients
900 g (2 lb) d'oie en morceaux
30 ml (2 c. à soupe) de beurre
30 ml (2 c. à soupe) de farine
500 ml (2 tasses) de bouillon de poulet
sel
poivre
225 g (1/2 lb) de rutabaga coupé en dés
225 g (1/2 lb) de pommes de terre, coupées en dés

Préparation
— Préchauffer le plat à rôtir 7 minutes à 100 %, y mettre le beurre et chauffer 30 secondes à 100 %.
— Saisir les morceaux d'oie, puis les retirer ; réserver.
— Saupoudrer la farine au fond du plat et bien mélanger.
— Ajouter le bouillon et cuire de 5 à 7 minutes à 100 %, en remuant toutes les 2 minutes.
— Assaisonner au goût et remettre les morceaux d'oie dans le plat.
— Couvrir, diminuer l'intensité à 70 %, puis cuire 20 minutes, en remuant 1 fois à la mi-cuisson.
— Ajouter les légumes et remuer.
— Couvrir à nouveau et poursuivre la cuisson à 70 % de 20 à 25 minutes ou jusqu'à ce que les légumes soient cuits.
— Laisser reposer 5 minutes avant de servir.

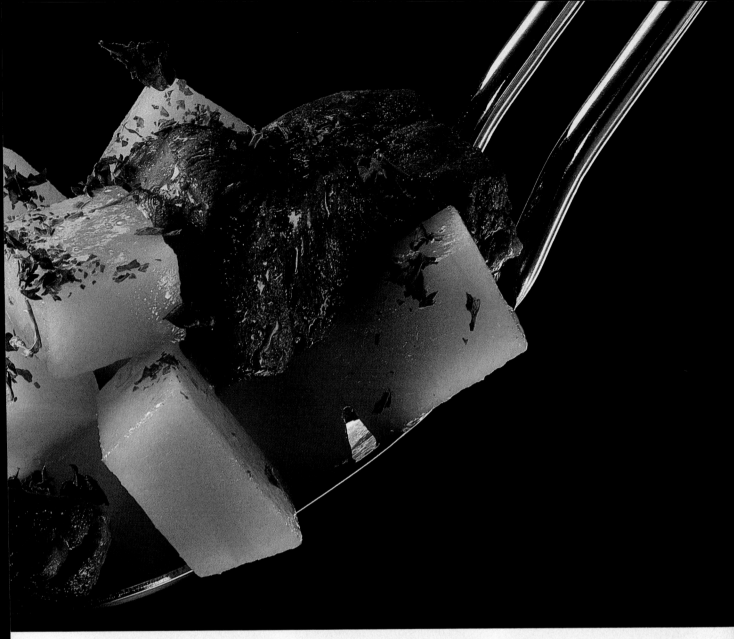

Rutabaga, pommes de terre, farine et bouillon de poulet sont les principaux ingrédients composant ce succulent ragoût d'oie.

Saisir les morceaux d'oie dans le plat à rôtir préchauffé contenant du beurre.

Après avoir saupoudré de farine, ajouter le bouillon de poulet.

Oie à la crème

Complexité	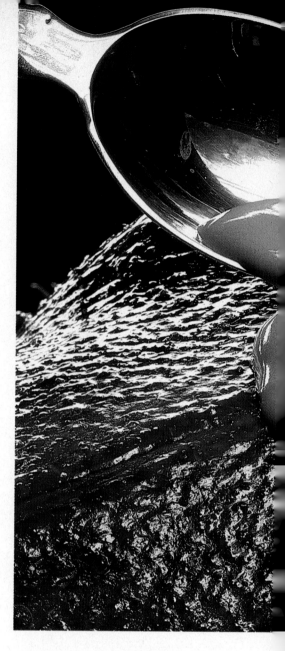 🍴
Temps de préparation	30 min
Nombre de portions	15
Valeur nutritive	370 calories 27 g de protéines 3,1 mg de fer
Équivalences	4 oz de viande 1 portion de légumes 1 portion de gras
Temps de cuisson	2 h 07 min
Temps de repos	10 min
Intensité	70 %, 100 %
Inscrivez ici votre temps de cuisson	

Ingrédients

4 kg (9 lb) d'oies
2 carottes râpées
2 branches de céleri
finement hachées
1 oignon finement haché
1 feuille de laurier
2 ml (1/2 c. à thé) de sucre
1 pincée de piment de la Jamaïque
poivre
300 ml (1 1/4 tasse) de consommé de bœuf

Sauce
30 ml (2 c. à soupe) de beurre
30 ml (2 c. à soupe) de farine
5 ml (1 c. à thé) de moutarde de Dijon
250 ml (1 tasse) de crème à 15 %
125 ml (1/2 tasse) de vin blanc

Préparation

— Mettre tous les légumes et les assaisonnements dans une cocotte, et y verser 125 ml (1/2 tasse) de bouillon de bœuf.
— Brider l'oie et en assaisonner l'intérieur.
— Déposer l'oie sur le mélange de légumes, poitrine au-dessous.
— Cuire 1 heure à 70 %.
— Retourner l'oie poitrine au-dessus et remuer les légumes.
— Poursuivre la cuisson à 70 % de 45 à 60 minutes ou jusqu'à ce que l'oie soit bien cuite.
— Retirer l'oie de la cocotte et la recouvrir de papier d'aluminium, côté brillant contre la volaille ; laisser reposer 10 minutes.
— Pendant ce temps, préparer la sauce : passer le fond de cuisson au tamis ; fondre le beurre 30 secondes à 100 %, y ajouter la farine et bien mélanger.
— Incorporer le fond de cuisson et ce qui reste de consommé à ce beurre manié, et chauffer le tout de 3 à 4 minutes à 100 % en remuant 2 fois pendant la cuisson.
— Ajouter la moutarde et remuer pour bien mélanger.

— Ajouter la crème et le
  vin blanc, puis chauffer
  le mélange de 2 à
  3 minutes à 100 %, en
  remuant 2 fois pendant
  la cuisson.
— Assaisonner au goût et
  servir avec l'oie.

TRUCS

**Décongélation et
réchauffage réunis**
Il est recommandé de
combiner les cycles de
décongélation et de
réchauffage des mets déjà
cuits en utilisant des
récipients allant au four à
micro-ondes. Régler le four
à 70 % plutôt qu'à 30 % ou

50 % ; compter de 4 à
5 minutes pour chaque
portion de 500 g (1,1 lb).
Remuer les aliments de
l'extérieur vers le centre
du plat afin d'assurer une
décongélation uniforme,
l'action des micro-ondes
étant plus concentrée près
des parois du récipient.
Remettre la viande au four,
à 70 % de 4 à 5 minutes.
Retirer lorsque le tout est
chaud. Laisser reposer.

Le gros gibier : plus gros dans les histoires qu'en réalité ?

Si vous croisez un chevreuil sur une route déserte, par une belle nuit d'été, ne lui attribuez pas la taille d'un orignal quand vous raconterez l'anecdote à des amis. Car, s'il vous arrivait plus tard d'entrevoir un véritable orignal, vous seriez dans l'obligation de rendre justice à sa supériorité sur le chevreuil, et sa taille atteindrait alors des proportions incroyables ! Laissez ces exagérations délicieuses aux autres et offrez plutôt à vos convives une venaison de choix, qui alimentera longtemps les belles histoires de la table, plus savoureuses encore que les histoires de chasse.

Si l'on peut affirmer que la viande de gibier s'apparente à celle du bœuf, on ne peut toutefois les confondre pour autant, puisque l'alimentation des bêtes et l'environnement dans lequel elles vivent ont une influence directe sur la saveur et la texture de la viande. Le milieu naturel et le rythme de vie d'un animal influent sur la qualité de sa chair. Aussi, il est probable qu'un orignal et un bœuf, nourris et logés de la même manière, fourniraient une viande semblable. Mais, à la grande joie des gourmets qui aiment la variété, il n'en est rien.

Certains considèrent la chair du chevreuil et du caribou plus tendre que celle de l'orignal. En fait, cette affirmation est discutable ; c'est une question de goût personnel car leur venaison est de qualité équivalente.

La venaison de la femelle, tout comme celle d'un jeune gibier, surpassera toujours en tendreté celle d'un mâle adulte. Ce dernier, plus actif que sa compagne, offre parfois une chair plus coriace. Cependant, certaines parties comme le cou et les jarrets fournissent une viande hachée succulente.

La chair du gros gibier peut-être un peu plus «musclée» que celles des bêtes d'élevage. Marinées, ces viandes rouges deviennent alors tendres et parfumées. Vous trouverez, dans ce tome (page 56), quelques recettes de marinades qui rehausseront à merveille un ragoût d'orignal, un cuissot de chevreuil, de même qu'un rôti d'ours ou de caribou.

Si vous n'êtes pas vous-même attiré par les expéditions en forêt, rien ne vous empêche cependant de «dépister» un vaillant chasseur parti quérir, avec une fébrilité débordante, un gibier jeune et tendre. À vous le plaisir de le retrouver dans votre assiette !

Rôti d'orignal

Complexité	🍴
Temps de préparation	10 min
Nombre de portions	10
Valeur nutritive	322 calories 46,7 g de protéines 7,8 mg de fer
Équivalences	5 oz de viande 1 portion de gras
Temps de cuisson	11 à 17 min/kg (5 à 8 min/lb)
Temps de repos	10 min
Intensité	70 %
Inscrivez ici votre temps de cuisson	

Ingrédients
1 rôti d'orignal de 1,8 kg
(4 lb), roulé et bardé
50 ml (1/4 tasse) de beurre
ramolli
50 ml (1/4 tasse) de
moutarde sèche
3 oignons, tranchés en
rondelles
poivre
250 ml (1 tasse) de thé fort
125 ml (1/2 tasse) de
consommé de bœuf

Préparation
— Mélanger le beurre et la
  moutarde sèche, et en
  badigeonner toute la
  surface du rôti.
— Recouvrir de rondelles
  d'oignon et poivrer au
  goût.

— Disposer le rôti sur une
  clayette et cuire à 70 %,
  sans couvrir, au goût :
  bleu : 11 min/kg
  (5 min/lb) ;
  saignant : 13 min/kg
  (6 min/lb) ;
  à point : 15 min/kg
  (7 min/lb) ;
  bien cuit : 17 min/kg
  (8 min/lb).
— Retirer le rôti et le
  recouvrir de papier
  d'aluminium, côté brillant
  contre la viande ; laisser
  reposer 10 minutes.
— Pendant ce temps,
  préparer la sauce en
  déglaçant le fond de
  cuisson avec le thé et le
  consommé de bœuf non
  dilué ; racler

vigoureusement avec
une spatule.
— Cuire ce mélange de 4 à
  5 minutes à 100 %, en
  remuant toutes les
  2 minutes.
— Assaisonner au goût.
— Retirer le papier
  d'aluminium du rôti et
  le trancher ; servir
  accompagné de sauce.

TRUCS

Pour obtenir une saveur maximale de la venaison

Barder le gibier
La chair du gibier, généralement moins grasse que celle des animaux d'élevage, doit, le plus souvent, être bardée. Aussi doit-on l'enduire de gras durant la cuisson, afin d'empêcher qu'elle ne se dessèche. La crépine (membrane veinée de filaments gras qui entoure l'estomac du porc) est très fine et enduit efficacement une pièce de viande exigeant une cuisson assez rapide.
Le petit gibier servi entier gagnera aussi à être bardé. On peut enrober sa carcasse de bardes de gras taillées selon la dimension de l'animal.

Mariner la viande
La macération attendrit considérablement la venaison, surtout celle du gros gibier, tout en la parfumant agréablement. Marinées plusieurs heures dans un mélange d'huile, de vin ou de vinaigre, de carottes et d'oignons émincés, les viandes perdront leur consistance ferme. Cette marinade, aromatisée avec un bouquet garni, rehaussera la saveur des rôtis, des cubes et des côtelettes.

Ragoût d'orignal

Complexité	 🍴
Temps de préparation	20 min*
Nombre de portions	8
Valeur nutritive	248 calories 30 g de protéines 5,3 mg de fer
Équivalences	3 oz de viande 1 portion de légumes
Temps de cuisson	1 h 18 min 30 s
Temps de repos	5 min
Intensité	100 %, 70 %
Inscrivez ici votre temps de cuisson	

* La viande doit macérer environ 4 heures au réfrigérateur avant la préparation de cette recette.

Ingrédients
900 g (2 lb) d'orignal, coupé en cubes de 2,5 cm (1 po)
50 ml (1/4 tasse) de beurre
2 gousses d'ail hachées
45 ml (3 c. à soupe) de farine
4 carottes émincées
1 branche de céleri
230 g (8 oz) de champignons émincés
sel
poivre

Marinade
500 ml (2 tasses) de vin rouge
1 oignon finement haché
1 pincée de thym
1 gousse d'ail coupée en deux
1 feuille de laurier

Préparation
— Réunir tous les ingrédients de la marinade et y déposer les cubes de viande.
— Laisser la viande macérer 4 heures au réfrigérateur, en remuant à quelques reprises.
— Retirer les cubes de la marinade et les réserver.
— Mettre le beurre et l'ail dans un plat puis cuire 1 1/2 minute à 100 %; ajouter la farine et bien mélanger.
— Verser la marinade et cuire de 5 à 7 minutes à 100 %, en remuant 2 fois pendant la cuisson.
— Ajouter les cubes de viande, couvrir et diminuer l'intensité à 70 %; cuire le tout 30 minutes.
— Ajouter les légumes et remuer pour bien mélanger.
— Couvrir à nouveau et poursuivre la cuisson à 70 % de 30 à 40 minutes ou jusqu'à ce que la viande soit tendre, en remuant 1 fois à la mi-cuisson.
— Laisser reposer 5 minutes avant de servir.

Cette recette permet d'apprécier au plus haut point la finesse de l'orignal. Voici les ingrédients qu'il faut réunir avant de se mettre à la tâche.

Laisser macérer les cubes de viande environ 4 heures au réfrigérateur pour leur donner une saveur incomparable.

Ajouter les légumes et bien mélanger avant d'entreprendre la dernière étape de la cuisson.

Pain de viande d'orignal

Complexité	🍴
Temps de préparation	15 min
Nombre de portions	8
Valeur nutritive	148 calories 25,7 g de protéines 4,3 mg de fer
Équivalences	3 oz de viande
Temps de cuisson	21 min
Temps de repos	5 min
Intensité	100 %, 70 %
Inscrivez ici votre temps de cuisson	✏️🍎

Ingrédients
675 g (1 1/2 lb) d'orignal haché
115 g (1/4 lb) de porc haché
50 ml (1/4 tasse) de chapelure
50 ml (1/4 tasse) d'oignon haché
15 ml (1 c. à soupe) de persil
2 ml (1/2 c. à thé) de sauce Worcestershire
15 ml (1 c. à soupe) de ketchup
1 œuf battu
sel
poivre

Préparation
— Dans un grand bol, réunir tous les ingrédients et bien mélanger pour obtenir une consistance homogène ; assaisonner au goût.
— Verser la préparation dans un moule à pain.
— Avec la main, appliquer une légère pression à la surface du mélange pour le répartir uniformément.
— Cuire 5 minutes à 100 %.
— Faire pivoter le plat d'un demi-tour et diminuer l'intensité à 70 %.
— Poursuivre la cuisson de 14 à 16 minutes à 70 %, en faisant à nouveau pivoter le plat d'un demi-tour à la mi-cuisson.
— Laisser reposer 5 minutes.

Nul doute que ce pain de viande d'orignal plaira à tous les amateurs de gibier. Réunir d'abord ces ingrédients avant d'entreprendre sa préparation.

Dans un grand bol, réunir tous les ingrédients et bien mélanger pour obtenir une consistance homogène.

Avec la main, appliquer une légère pression à la surface du mélange pour le répartir uniformément.

Orignal aux champignons

Ingrédients
900 g (2 lb) d'orignal en
cubes
125 ml (1/2 tasse) de farine
1 boîte de 284 ml (10 oz) de
crème de champignons
150 ml (5 oz) d'eau
15 ml (1 c. à soupe) de
concentré liquide de bœuf
50 ml (1/4 tasse) de beurre
sel
poivre
1 pincée de paprika
1 pincée de thym
15 ml (1 c. à soupe) de
persil
1 carotte râpée
1 branche de céleri
finement hachée
1 tête de poireau, coupée en
fines lamelles
230 g (8 oz) de champignons
émincés

Préparation
— Préchauffer le plat à rôtir
7 minutes à 100 %.
— Pendant ce temps,
fariner les cubes de
viande et réserver ;
mélanger la crème de
champignons, l'eau et le
concentré de bœuf ;
réserver.
— Mettre le beurre dans le
plat à rôtir et chauffer
30 secondes à 100 %.
— Saisir les cubes et
assaisonner au goût.
— Ajouter les légumes et
incorporer le mélange
de crème de champi-
gnons, d'eau et de
concentré de bœuf ; bien
mélanger.
— Couvrir le tout et cuire
5 minutes à 100 %.
— Remuer et diminuer
l'intensité à 70 % ;
couvrir à nouveau et
poursuivre la cuisson
20 minutes.
— Remuer et couvrir à
nouveau ; poursuivre la
cuisson à 70 % de 20 à
30 minutes, ou jusqu'à
ce que la viande soit
tendre.
— Ajouter les champignons,
couvrir et laisser reposer
10 minutes avant de
servir.

Boulettes d'orignal à la crème

Complexité	
Temps de préparation	30 min
Nombre de portions	8
Valeur nutritive	189 calories 26,5 g de protéines 4,4 mg de fer
Équivalences	3 oz de viande 1 portion de légumes
Temps de cuisson	22 min
Temps de repos	aucun
Intensité	100 %
Inscrivez ici votre temps de cuisson	

Ingrédients
675 g (1 1/2 lb) d'orignal haché
225 g (1/2 lb) de porc haché
50 ml (1/4 tasse) de chapelure
1 œuf battu
1 pincée de muscade
1 pincée de piment de la Jamaïque
sel
poivre

Sauce à la crème
50 ml (1/4 tasse) de céleri finement haché
50 ml (1/4 tasse) d'oignon finement haché
30 ml (2 c. à soupe) de jus de citron
1 boîte de 284 ml (10 oz) de crème de champignons
sel
poivre

Préparation
— Préparer d'abord les boulettes ; réunir tous les ingrédients nécessaires à leur préparation et bien mélanger.
— Façonner de petites boulettes d'égale dimension et réserver.
— Pour préparer la sauce, mettre le céleri, l'oignon et le jus de citron dans un plat ; couvrir et cuire de 2 à 3 minutes à 100 %, en remuant 1 fois pendant la cuisson.
— Ajouter la crème de champignons et assaisonner.
— Chauffer de 3 à 4 minutes à 100 %, en remuant 1 fois pendant la cuisson ; couvrir et réserver.
— Disposer les boulettes sur une plaque à bacon et cuire de 10 à 12 minutes à 100 %, en faisant pivoter la plaque d'un demi-tour à la mi-cuisson.
— Ajouter les boulettes à la sauce et chauffer le tout de 2 à 3 minutes à 100 %.

TRUCS

Comment enlever les taches d'aliments

Il arrive parfois, lors d'un souper par ailleurs agréable, de malencontreux accidents. Un vêtement taché peut empêcher un convive d'apprécier les joies d'un repas. Afin de remédier à des situations semblables, nous avons pensé recueillir quelques trucs pour éliminer les taches causées par certains aliments sur les tissus. Une tache de café se nettoie avec de l'eau bouillante : étendre la partie de tissu endommagée sur un bol et faire couler l'eau sur la tache, à une distance d'environ 30 à 50 cm (12 à 20 po). On se débarrassera de la graisse en frottant avec un morceau de savon sec, puis en lavant à l'eau chaude savonneuse. Les taches de fruits disparaîtront avec de la glycérine ; procéder ensuite comme pour le café. Les traces de rouge à lèvres sur les serviettes de table doivent être frottées avec de la gelée de pétrole blanche (Vaseline) et trempées dans l'eau tiède savonneuse avant d'être lavées.

Cuissot de chevreuil rôti

Complexité	
Temps de préparation	15 min*
Nombre de portions	10
Valeur nutritive	322 calories 28,6 g de protéines 8,2 mg de fer
Équivalences	3,5 oz de viande 1 1/2 portion de gras
Temps de cuisson	13 à 19 min/kg (6 à 9 min/lb) + 6 min
Temps de repos	10 min
Intensité	70 %, 100 %
Inscrivez ici votre temps de cuisson	

* La viande doit macérer 2 jours au réfrigérateur avant la préparation de cette recette.

Ingrédients
1 gigot de chevreuil de
1,8 kg (4 lb)
Marinade
250 ml (1 tasse) d'huile
d'olive
125 ml (1/2 tasse) de jus de
citron, ou 250 ml (1 tasse)
de vin rouge
1 feuille de laurier
ail, au goût
moutarde sèche, au goût
oignon, au goût
Sauce
30 ml (2 c. à soupe) de
beurre
30 ml (2 c. à soupe) de
farine
250 ml (1 tasse) de vin
rouge
jus d'un citron

30 ml (2 c. à soupe) de
gelée de groseille
50 ml (1/4 tasse) de crème à
35 %

Préparation
— Réunir tous les
ingrédients de la
marinade dans un bol et
y déposer le chevreuil.
— Laisser macérer au
réfrigérateur pendant
2 jours, en prenant soin
de retourner la viande
au moins à 3 reprises.
— Bien égoutter la viande
et l'assécher
soigneusement.
— Déposer la viande sur
une clayette et cuire à
70 % sans couvrir, au
goût :

saignant : 13 min/kg
(6 min/lb) ;
mi-saignant : 15 min/kg
(7 min/lb) ;
à point : 17 min/kg
(8 min/lb) ;
bien cuit : 19 min/kg
(9 min/lb) ;
ou encore en utilisant
une sonde thermique :
saignant : 45°C (110°F) ;
mi-saignant : 50°C
(120°F) ;
à point : 55°C (130°F) ;
bien cuit : 60°C (140°F) ;
en faisant pivoter le plat
d'un demi-tour à la
mi-cuisson.

- Retirer la pièce de viande et la recouvrir de papier d'aluminium, côté brillant contre la viande.
- Laisser reposer 10 minutes.
- Pendant ce temps, préparer la sauce en faisant d'abord fondre le beurre 45 secondes à 100 %.
- Ajouter la farine et bien mélanger.
- Ajouter le vin rouge et cuire de 3 à 4 minutes à 100 %, en remuant 2 fois pendant la cuisson.
- Incorporer le jus de citron et la gelée de groseille puis bien remuer.
- Ajouter la crème et chauffer le tout 1 minute, en remuant 1 fois après 30 secondes de cuisson.
- Retirer le papier d'aluminium de la viande et napper de sauce avant de servir.

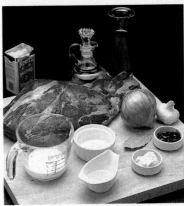

La combinaison de tous ces ingrédients saura donner à cet apprêt de chevreuil un goût incomparable.

Cuissot de chevreuil petit maître

Complexité	🍴🍴
Temps de préparation	20 min
Nombre de portions	10
Valeur nutritive	343 calories 40,4 g de protéines 17,5 g de lipides
Équivalences	4 oz de viande 1 portion de gras
Temps de cuisson	1 h 10 min
Temps de repos	5 min
Intensité	100 %, 70 %
Inscrivez ici votre temps de cuisson	

Ingrédients

1 gigot de chevreuil de
1,8 kg (4 lb)
5 minces tranches de lard
salé
75 ml (1/3 tasse) de farine
50 ml (1/4 tasse) de beurre
sel
poivre
1 gros oignon émincé
250 ml (1 tasse) d'eau
bouillante
250 ml (1 tasse) de jus de
tomate
5 ml (1 c. à thé) de sucre

Préparation

— Préchauffer le plat à rôtir
  7 minutes à 100 %.
— Pendant ce temps,
  barder le gigot et le
  ficeler ; saupoudrer de
  farine.
— Mettre le beurre dans
  le plat et chauffer
  30 secondes à 100 %.
— Saisir le gigot et
  assaisonner au goût.
— Ajouter l'oignon et
  verser l'eau bouillante.
— Couvrir et cuire le tout
  30 minutes à 70 %.
— Retourner le gigot sur
  lui-même, couvrir à
  nouveau et poursuivre
  la cuisson à 70 %
  30 minutes.

— Mélanger le jus de
  tomate et le sucre ;
  verser sur le gigot.
— Couvrir à nouveau et
  poursuivre la cuisson à
  70 % 10 minutes ou
  jusqu'à ce que la viande
  soit tendre.
— Laisser reposer 5 minutes
  avant de servir.

TRUCS

Le déglaçage

Le déglaçage sert à faire dissoudre, avec un liquide (bouillon, vinaigre, vin sec, crème, etc.), les sucs (particules foncées distinctes du gras) qui s'échappent de la viande durant la cuisson, dans le but de confectionner une sauce.

Cette opération simple consiste à verser le liquide dans le fond du plat ayant servi à la cuisson de la viande.

Dans le cas où les sucs manqueraient de couleur ou seraient mélangées au gras, il convient de les saisir quelques minutes à 100 %.

Procéder ensuite au dégraissage en versant le liquide sur les sucs. À l'aide d'une cuillère de bois, gratter le fond du plat pour en décoller toutes les particules et bien mélanger. Enfin, faire chauffer jusqu'à l'obtention de la consistance désirée. Cette sauce peut être servie immédiatement, conservée au réfrigérateur plusieurs jours ou congelée.

Chevreuil à la suisse

Ingrédients
900 g (2 lb) de chevreuil en cubes
75 ml (1/3 tasse) de farine
5 ml (1 c. à thé) de sel à l'ail

2 ml (1/2 c. à thé) de paprika
2 ml (1/2 c. à thé) de poivre
5 ml (1 c. à thé) de persil
50 ml (1/4 tasse) de beurre

1 oignon finement haché
115 g (4 oz) de champignons émincés
500 ml (2 tasses) de tomates, pelées et broyées au mélangeur

Complexité	![icône]
Temps de préparation	20 min
Nombre de portions	6
Valeur nutritive	305 calories 33,9 g de protéines 7,4 mg de fer
Équivalences	3,5 oz de viande 1 portion de légumes 1/2 portion de gras
Temps de cuisson	1 h 05 min
Temps de repos	5 min
Intensité	100 %, 70 %
Inscrivez ici votre temps de cuisson	![icône]

Préparation
— Préchauffer le plat à rôtir 7 minutes à 100 %.
— Pendant ce temps, mélanger la farine, le sel à l'ail, le paprika, le poivre et le persil ; fariner les cubes avec cette préparation.
— Mettre le beurre dans le plat et chauffer 30 secondes à 100 %.
— Saisir les cubes de viande et ajouter tous les autres ingrédients.
— Couvrir et cuire le tout 30 minutes à 70 %.
— Remuer, couvrir à nouveau et cuire à 70 % de 25 à 35 minutes ou jusqu'à ce que la viande soit tendre, en remuant 2 fois pendant la cuisson.
— Laisser reposer 5 minutes avant de servir.

Chevreuil en sauce aigre-douce

Ingrédients

900 g (2 lb) de chevreuil coupé en lanières

30 ml (2 c. à soupe) de beurre

45 ml (3 c. à soupe) de jus de citron

30 ml (2 c. à soupe) de cassonade

30 ml (2 c. à soupe) de sauce soja

1 pincée de sel

45 ml (3 c. à soupe) d'huile

1 oignon finement haché

10 champignons tranchés

Complexité	
Temps de préparation	15 min
Nombre de portions	6
Valeur nutritive	305 calories 32,8 g de protéines 7,4 mg de fer
Équivalences	3,5 oz de viande 1 portion de légumes 1/2 portion de gras
Temps de cuisson	7 min
Temps de repos	2 min
Intensité	100 %
Inscrivez ici votre temps de cuisson	

Préparation

— Préchauffer le plat à rôtir 7 minutes à 100 %.

— Pendant ce temps, mélanger dans un bol le beurre, le jus de citron, la cassonade, la sauce soja et le sel ; battre avec un fouet jusqu'à ce que la consistance soit homogène ; réserver.

— Verser l'huile dans le plat et chauffer 30 secondes à 100 %.

— Saisir les lanières de chevreuil, et ajouter l'oignon et les champignons.

— Incorporer la sauce, couvrir et cuire de 5 à 7 minutes à 100 %, en remuant 1 fois à la mi-cuisson.

— Laisser reposer 2 minutes avant de servir.

Bifteck de chevreuil en sauce au poivre

Complexité	
Temps de préparation	15 min
Nombre de portions	4
Valeur nutritive	447 calories 36 g de protéines 7,7 mg de fer
Équivalences	4 oz de viande 3 portions de gras
Temps de cuisson	17 min
Temps de repos	aucun
Intensité	100 %, 70 %
Inscrivez ici votre temps de cuisson	

Ingrédients
4 tranches de chevreuil
50 ml (1/4 tasse) de beurre
45 ml (3 c. à soupe) de farine
5 ml (1 c. à thé) de poivre noir moulu
300 ml (1 1/4 tasse) de consommé de bœuf
250 ml (1 tasse) de crème à 15 %
10 grains de poivre
30 ml (1 oz) de cognac
15 ml (1 c. à soupe) de concentré de bœuf liquide, pour badigeonner les biftecks

Préparation
— Chauffer le beurre de 3 à 5 minutes à 100 %, jusqu'à ce qu'il brunisse, en remuant 1 fois pendant la cuisson.
— Ajouter la farine et le poivre ; bien mélanger ; verser le consommé et remuer à nouveau.
— Cuire de 3 à 4 minutes à 100 %, en remuant 1 fois pendant la cuisson.
— Incorporer la crème et battre avec un fouet.
— Poursuivre la cuisson à 100 %, de 2 à 3 minutes, en remuant 2 fois pendant la cuisson.
— Ajouter les grains de poivre et le cognac ; couvrir et réserver.
— Disposer les tranches sur une plaque à bacon et les badigeonner du concentré de bœuf.
— Cuire 5 minutes à 70 %, ou jusqu'à ce que la viande soit cuite.
— Napper de sauce avant de servir.

Ragoût de chevreuil

Complexité	🍴
Temps de préparation	20 min*
Nombre de portions	6
Valeur nutritive	350 calories 34,4 g de protéines 7,6 mg de fer
Équivalences	3,5 oz de viande 1 1/2 portion de légumes 1 portion de gras
Temps de cuisson	1 h 05 min
Temps de repos	5 min
Intensité	100 %, 70 %
Inscrivez ici votre temps de cuisson	

* La viande doit macérer 24 heures avant la cuisson.

Ingrédients
900 g (2 lb) de chevreuil en cubes
125 ml (1/2 tasse) de farine
50 ml (1/4 tasse) de beurre
sel
poivre
2 oignons hachés
2 gousses d'ail broyées
1 carotte tranchée en minces rondelles
1 branche de céleri finement coupée

Marinade
500 ml (2 tasses) de vin rouge
1 oignon finement haché
1 carotte râpée
sel
poivre
2 ml (1/2 c. à thé) de thym
1 gousse d'ail broyée
1 feuille de laurier

Préparation
— Réunir tous les ingrédients de la marinade dans un bol et bien mélanger.
— Mettre la viande dans la marinade, couvrir et laisser macérer 24 heures au réfrigérateur, en remuant à quelques reprises.
— Retirer la viande de la marinade, l'assécher soigneusement et la fariner ; passer la marinade au tamis fin et réserver.
— Préchauffer le plat à rôtir 7 minutes à 100 %, y mettre le beurre et chauffer 30 secondes à 100 %.
— Saisir la viande et verser la marinade dans le plat ; remuer pour bien mélanger et assaisonner au goût.
— Ajouter tous les légumes, couvrir et cuire 5 minutes à 100 %.
— Remuer et poursuivre la cuisson à 70 % de 50 à 60 minutes ou jusqu'à ce que la viande soit tendre, en remuant à plusieurs reprises.
— Laisser reposer 5 minutes avant de servir.

Laisser macérer les cubes de viande 24 heures au réfrigérateur, pour les attendrir et leur donner une saveur exquise.

Fariner les cubes de viande avant de les saisir dans le plat à rôtir préchauffé.

Passer la marinade au tamis fin, en vue de l'incorporer à la viande après l'avoir saisie.

Rôti de caribou

Complexité	 🍴
Temps de préparation	10 min*
Nombre de portions	10
Valeur nutritive	260 calories 46 g de protéines 7,7 mg de fer
Équivalences	3 oz de viande 1 portion de gras
Temps de cuisson	13 à 29 min/kg (6 à 9 min/lb)
Temps de repos	10 min
Intensité	70 %
Inscrivez ici votre temps de cuisson	

* Si la pièce de viande provient d'un animal âgé, il est préférable de la macérer 24 heures avant la cuisson (voir la recette de marinade pour orignal, page 56).

Ingrédients

1 rôti de caribou de 1,8 kg (4 lb) désossé et roulé
50 ml (1/4 tasse) de beurre fondu
5 ml (1 c. à thé) de moutarde sèche
15 ml (1 c. à soupe) de farine
poivre
1 gros oignon tranché

Préparation

— Mélanger le beurre, la moutarde, la farine et le poivre pour obtenir une pâte et en badigeonner le rôti.
— Placer le rôti sur une clayette disposée dans un plat et mettre l'oignon tout autour.
— Sans couvrir, cuire à 70 %, au goût :
saignant : 13 min/kg (6 min/lb) ;
mi-saignant : 15 min/kg (7 min/lb) ;
à point : 17 min/kg (8 min/lb) ;
bien cuit : 19 min/kg (9 min/lb) ;
ou encore en utilisant une sonde thermique :
saignant : 45°C (110°F) ;
mi-saignant : 50°C (120°F) ;
à point : 55°C (130°F) ;
bien cuit : 60°C (140°F) ;
en faisant pivoter le plat d'un demi-tour à la mi-cuisson.
— Retirer la pièce de viande et la recouvrir de papier d'aluminium, côté brillant contre la viande.
— Laisser reposer 10 minutes avant de servir.

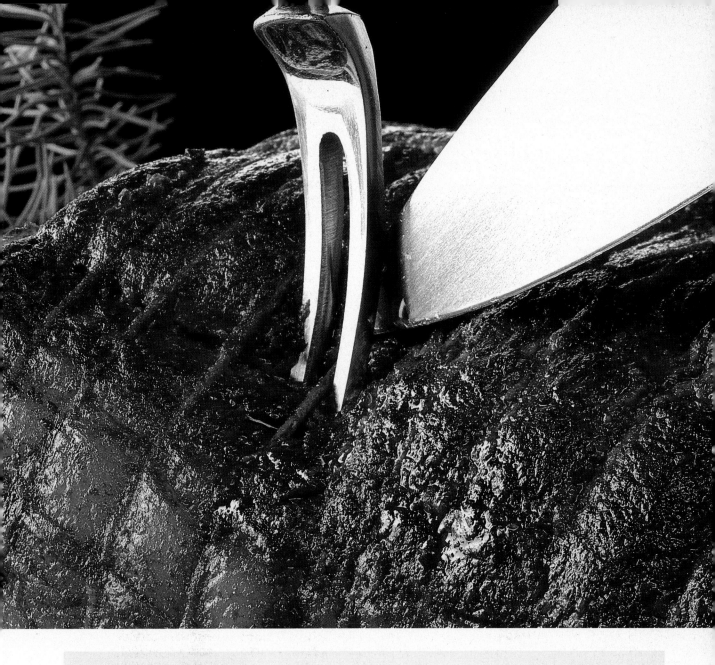

TRUCS

La cuisson des légumes au four à micro-ondes

La cuisson des légumes au four à micro-ondes est particulièrement recommandée. En effet, ces aliments conservent ainsi leur saveur et leur texture croquante, ainsi qu'une couleur éclatante. Afin d'obtenir une cuisson uniforme des légumes :

- choisir des légumes de taille et de forme semblables;
- augmenter la durée de cuisson selon la quantité de légumes cuits en même temps;
- afin d'éviter toute surcuisson, placer les parties les moins charnues vers le centre du plat de cuisson, la chaleur y étant moins intense;
- utiliser une très petite quantité d'eau ou de liquide et couvrir le plat de cuisson avec un couvercle approprié ou une pellicule plastique; remuer une fois pour obtenir une cuisson uniforme;
- accorder un temps de repos aux légumes après la cuisson;
- saler les légumes seulement après la cuisson.

Pain de viande de caribou

Complexité	
Temps de préparation	15 min
Nombre de portions	6
Valeur nutritive	225 calories 33,9 g de protéines 2,9 g de lipides
Équivalences	3 oz de viande
Temps de cuisson	20 min
Temps de repos	5 min
Intensité	100 %, 70 %
Inscrivez ici votre temps de cuisson	

Ingrédients

675 g (1 1/2 lb) de caribou haché
250 ml (1 tasse) de lait
160 ml (2/3 tasse) de craquelins émiettés
2 œufs battus
125 ml (1/2 tasse) d'oignon finement haché
sel
poivre
2 ml (1/2 c. à thé) de sauge

Préparation

— Faire tremper les craquelins dans le lait.
— Incorporer tous les autres ingrédients et bien mélanger pour obtenir une consistance homogène.
— Verser la préparation dans un moule à pain.
— Avec la main, appliquer une légère pression sur toute la surface du mélange pour en extraire le maximum d'air.
— Cuire 5 minutes à 100 %.
— Diminuer l'intensité à 70 % et poursuivre la cuisson de 12 à 15 minutes, ou jusqu'à ce que le pain de viande soit cuit, en faisant pivoter le plat d'un demi-tour à la mi-cuisson.
— Laisser reposer 5 minutes avant de servir.

Fraîcheur et saveur combinées, voilà le secret pour convertir ces ingrédients en pain de viande succulent.

Faire tremper les craquelins émiettés dans le lait. Incorporer ensuite tous les autres ingrédients.

Bien mélanger afin d'obtenir une consistance homogène et verser la préparation dans un moule à pain.

Avec la paume de la main, appliquer une légère pression sur toute la surface du mélange pour évacuer le surplus d'air.

Rôti d'ours

Complexité	 🍴
Temps de préparation	20 min*
Nombre de portions	15
Valeur nutritive	215 calories 47 g de protéines 5,3 g de lipides
Équivalences	3 oz de viande
Temps de cuisson	1 h 15 min
Temps de repos	10 min
Intensité	50 %
Inscrivez ici votre temps de cuisson	

* La viande doit macérer 10 heures au réfrigérateur avant la cuisson.

Ingrédients
Un morceau d'ours dans la fesse d'environ 2,25 kg (5 lb)
250 ml (1 tasse) de consommé de bœuf poivre
1 feuille de laurier
5 ml (1 c. à thé) d'estragon
5 ml (1 c. à thé) de cerfeuil
Marinade
1,5 l (6 tasses) d'huile d'olive
500 ml (2 tasses) de vin rouge
2 carottes râpées
2 oignons hachés
2 branches de céleri hachées

Préparation
— Dans un bol, réunir tous les ingrédients de la marinade et y déposer la pièce de viande.
— Laisser macérer 10 heures au réfrigérateur, en la retournant à quelques reprises.
— Égoutter soigneusement la viande et la disposer sur une clayette.
— Ajouter les épices au consommé non dilué et en arroser la viande.
— Couvrir et cuire à 50 %, 1 1/4 heure ou jusqu'à ce que la viande soit tendre. L'arroser à quelques reprises pendant la cuisson, et faire pivoter le plat d'un demi-tour, en retournant la viande sur elle-même à la mi-cuisson.
— Laisser reposer 10 minutes.
— Si désiré, accompagner d'une sauce au poivre (recette page 84).

TRUCS

Réduire une recette
Pour n'obtenir que la
moitié d'une recette, il
suffit de réduire de moitié
la quantité de chaque
ingrédient. Utiliser un plat
de cuisson de proportions
réduites. Placer les
aliments à la même

hauteur dans le four que
l'indique la recette
originale.
La durée de cuisson d'une
recette réduite de moitié
devra être coupée du tiers.
Prendre soin de vérifier
régulièrement la cuisson.
Pendant la cuisson,
intégrer les aliments dans
l'ordre exigé dans la
recette originale.
Vérifier la température

initiale des aliments avant
d'en déterminer le temps
de cuisson. De la même
manière, porter attention à
la composition des
aliments, par exemple, une
viande à forte teneur en
gras cuira plus rapidement
qu'une autre, plus maigre.
Enfin, diminuer le temps
de repos par rapport à la
recette originale.

Ragoût d'ours

Complexité	
Temps de préparation	15 min*
Nombre de portions	6
Valeur nutritive	315 calories 47,7 g de protéines 12,8 g de lipides
Equivalences	4 oz de viande 1 portion de légumes
Temps de cuisson	1 h 05 min
Temps de repos	10 min
Intensité	100 %, 50 %
Inscrivez ici votre temps de cuisson	

* La viande doit macérer 30 minutes avant la cuisson.

Ingrédients

900 g (2 lb) de viande d'ours, taillée en cubes de 2,5 cm (1 po)
50 ml (1/4 tasse) de beurre
1 oignon haché
1 poivron vert haché
2 gousses d'ail broyées
125 ml (1/2 tasse) de céleri haché
1 boîte de 160 ml (5 1/2 oz) de pâte de tomates
250 ml (1 tasse) de tomates pelées et hachées
1 goutte de sauce Tabasco
sel
poivre

Marinade

500 ml (2 tasses) d'eau
50 ml (1/4 tasse) de vinaigre
5 ml (1 c. à thé) de sel

Préparation

— Dans un bol, réunir tous les ingrédients de la marinade et y déposer les cubes de viande.
— Laisser macérer 30 minutes ; égoutter et assécher soigneusement.
— Préchauffer le plat à rôtir 7 minutes à 100 %.
— Saisir les cubes de viande et ajouter tous les autres ingrédients ; assaisonner au goût.
— Couvrir et cuire 5 minutes à 100 %.
— Remuer et couvrir à nouveau ; diminuer l'intensité à 50 % et poursuivre la cuisson 20 minutes.
— Remuer de nouveau, couvrir et cuire de 30 à 40 minutes ou jusqu'à ce que la viande soit tendre.
— Laisser reposer 10 minutes avant de servir.

L'originalité de cette recette vous attirera plus d'un compliment. Pour faciliter sa préparation, rassembler d'abord les ingrédients nécessaires.

Laisser macérer les cubes de viande d'ours pendant environ 30 minutes.

Après avoir saisi les cubes de viande dans le plat à rôtir préchauffé, ajouter tous les autres ingrédients.

Le lièvre : un délice au goût sauvage

Il n'y a pas que Jean de La Fontaine qui ait intégré les lièvres dans ses histoires. Les poètes et les peintres ont représenté ces petites bêtes sous toutes les formes. Tous se souviennent certainement de la scène où Alice et le lièvre dînent à la même table au pays des merveilles ?

On retrouvait un nombre impressionnant de bêtes désignées comme du petit gibier dans les assiettes de nos ancêtres. Bien sûr, le lapin et le lièvre composaient le menu rustique, mais la marmotte, l'écureuil, le porc-épic et le rat musqué étaient aussi du festin.

Ces habitudes alimentaires se sont modifiées avec l'urbanisation et la sédentarisation.

Les recettes proposées dans les pages qui suivent vous permettront d'apprêter le lièvre de différentes manières et, qui sait, d'expérimenter vos propres idées.

La chair savoureuse du lièvre est plus foncée que celle du lapin. Un lièvre de mois d'un an, fournira de très bons râbles à rôtir. Le civet est confectionné avec de la chair de lièvre âgé de plus d'un an. La chair des animaux plus âgés conviendra mieux aux plats braisés.

À l'instar de la venaison de gros gibier, celle du lièvre gagnera à macérer entre 12 et 24 heures, selon la grosseur, dans un mélange d'huile, de vin rouge, de légumes et d'aromates, tels le thym, le romarin, le laurier, la sarriette, le clou de girofle ou la muscade. Le lièvre se consomme entier, farci ou en morceaux. Le râble cru (partie allant du bas des côtes jusqu'à la queue) peut aussi être découpé en filets lorsqu'on désire une cuisson rapide. Il faut recouvrir la chair de lièvre d'une crépine ou de minces bardes afin d'en empêcher la déshydratation et d'en conserver toute la délicatesse. Comme pour les autres animaux, la viande de la femelle dépasse en tendreté celle du mâle.

Il vous sera aisé de préparer cette succulente venaison au four à micro-ondes. Ainsi que nous l'avons souligné précédemment, faites revenir dans le beurre les viandes à rôtir avant de les mettre à cuire au four. Pour ce faire, laissez un plat à rôtir au four 7 minutes à 100 % ; mettre le beurre dans le plat chaud et remettez-le au four 30 secondes. Faites-y revenir la viande qui prendra alors une belle couleur dorée tout en conservant ses sucs. Expérimentez les recettes de votre choix et empressez-vous de détromper les invités qui douteraient de l'efficacité de cette méthode de rôtissage !

Lièvre en cocotte

Complexité	 (icon)
Temps de préparation	10 min
Nombre de portions	4
Valeur nutritive	245 calories 40,3 g de protéines 6,4 g de lipides
Équivalences	3,5 oz de viande
Temps de cuisson	40 min
Temps de repos	5 min
Intensité	70 %
Inscrivez ici votre temps de cuisson	

Ingrédients
1,3 kg (3 lb) de lièvres coupé en morceaux
1 gros oignon haché
2 ml (1/2 c. à thé) de piment de la Jamaïque
15 ml (1 c. à soupe) de persil
1 ml (1/4 c. à thé) de cannelle
sel
poivre
15 ml (1 c. à soupe) de farine grillée
125 ml (1/2 tasse) d'eau

Préparation
— Mélanger la farine à l'eau et réserver.
— Déposer les morceaux de lièvre dans une cocotte et ajouter tous les autres ingrédients ; verser le mélange de farine et d'eau sur le mélange.
— Couvrir et cuire de 30 à 40 minutes à 70 %, en modifiant la disposition des morceaux de lièvre à la mi-cuisson.
— Laisser reposer 5 minutes avant de servir.

Lièvre à la bière

Ingrédients
1,8 kg (4 lb) de lièvres
50 ml (1/4 tasse) de beurre
50 ml (1/4 tasse) de farine
Marinade
1 bouteille de 350 ml
(12 oz) de bière
2 gousses d'ail hachées
1 feuille de laurier
5 oignons hachés
3 carottes coupées en
rondelles
fines herbes
sel
poivre

Préparation
— Couper le lièvre en
  6 morceaux.
— Dans un bol, réunir tous
  les ingrédients de la
  marinade et y déposer
  les morceaux de lièvre.
— Laisser macérer le lièvre
  24 heures.
— Retirer les morceaux de
  lièvre, les égoutter et les

assécher soigneusement;
passer la marinade au
tamis pour en séparer
les légumes; réserver le
tout.
— Dans un plat, fondre le
  beurre 1 minute à
  100 %; ajouter la farine
  et bien mélanger.
— Verser la marinade et
  cuire de 3 à 4 minutes à
  100 %, en remuant 2 fois
  pendant la cuisson.
— Ajouter le lièvre et les
  légumes.
— Diminuer l'intensité à
  70 %, couvrir et cuire
  45 minutes, ou jusqu'à
  ce que le lièvre soit
  tendre, en ramenant les
  morceaux qui sont au
  centre du plat vers
  l'extérieur à la
  mi-cuisson.
— Laisser reposer 5 minutes
  avant de servir.

Lièvre chasseur

Ingrédients
1,3 kg (3 lb) de lièvres
coupé en morceaux
50 ml (1/4 tasse) de beurre
125 ml (1/2 tasse) de
bouillon de poulet
 15 ml (1 c. à soupe)
d'eau-de-vie
230 g (8 oz) de champignons
tranchés
125 ml (1/2 tasse) de
tomates pelées, hachées et
égouttées
Marinade
90 ml (6 c. à soupe) d'huile
3 gousses d'ail broyées
jus de 1 citron
sel
poivre

Préparation
— Dans un bol, réunir tous
  les ingrédients de la
  marinade et y déposer
  les morceaux de lièvre.
— Laisser macérer 4 heures.
— Retirer les morceaux de
  lièvre, les égoutter et les
  assécher ; réserver la
  marinade.
— Préchauffer le plat à rôtir
  7 minutes à 100 %, y
  mettre le beurre et
  chauffer 30 secondes à
  100 %.
— Saisir les morceaux de
  lièvre et ajouter tous les
  autres ingrédients, ainsi
  que la marinade.
— Diminuer l'intensité à
  70 %, couvrir et cuire
  30 minutes, ou jusqu'à
  ce que le lièvre soit cuit,
  en ramenant les
  morceaux qui sont au
  centre du plat vers
  l'extérieur. Remuer la
  sauce à la mi-cuisson.
— Laisser reposer 5 minutes
  avant de servir.

Votre table d'hôte

Au menu
Crème de concombres et de fonds
d'artichaut
Tomates farcies
Civet de lièvre
Tarte aux pommes

Moment privilégié entre tous, le repas représente souvent la période de la journée où la détente et la bonne humeur sont de mise.

Nous savons tous à quel point il est agréable de convier ses invités à une soirée dont le repas constitue la principale activité. Grands événements à souligner, retrouvailles ou le désir d'être accompagné de personnes chères et de partager un repas, nombreuses sont les occasions d'offrir à vos invités une aventure gastronomique dont les éléments sont harmonieusement combinés. Le gibier se prête particulièrement bien aux événements de ce genre. Conçu pour 8 convives, le menu de réception que nous vous présentons saura plaire à vos invités les plus exigeants. Qu'il soit le fruit d'une chasse réussie ou qu'il ait été acheté sur le marché, le lièvre apprêté en civet est le mets tout indiqué pour le plat de résistance d'un menu de table d'hôte. Ceux qui, par bonheur, auront capturé eux-mêmes leur gibier prendront sans doute un malin plaisir à présenter l'assiette de service à leurs invités.

Précédé d'une crème de concombres et de fonds d'artichaut ainsi que d'une entrée de tomates farcies, le civet de lièvre sera suivi d'un dessert traditionnel mais toujours apprécié, la tarte aux pommes.

De la recette à votre table

Seule une bonne planification pourra éviter qu'un repas auquel sont conviés plusieurs amis ou parents ne devienne une corvée, voire un problème. Un repas complet préparé au four à micro-ondes se planifie, il va sans dire, de la même façon que si l'on faisait appel à un four traditionnel. Seuls les temps de cuisson et de réchauffage changent.

En soirée, la veille du repas...
Faire macérer le civet de lièvre.

Le matin du repas...
Préparer la tarte aux pommes.

2 heures 30 minutes avant le repas...
Préparer la crème de concombres et de fonds d'artichaut.

1 heure 30 minutes avant le repas...
Cuire le civet de lièvre.

40 minutes avant le repas...
Préparer les tomates farcies.

20 minutes avant le repas...
Réchauffer la crème de concombres et de fonds d'artichaut.

10 minutes avant le repas...
Cuire les tomates farcies.

Crème de concombres et de fonds d'artichaut

Ingrédients
2 concombres
6 fonds d'artichaut coupés en morceaux
60 ml (4 c. à soupe) de beurre
1 oignon émincé
1 branche de céleri émincée
1 l (4 tasses) de bouillon de poulet
250 ml (1/4 tasse) de lait
175 ml (3/4 tasse) de crème à 15 %
sel, poivre et persil

Préparation
— Peler les concombres et les épépiner.
— Mettre le beurre dans un plat et faire fondre 1 minute à 100 %.
— Ajouter les légumes.
— Couvrir et cuire 3 minutes à 100 %, en remuant 1 fois pendant la cuisson.
— Ajouter le bouillon, couvrir et cuire à 100 % de 12 à 15 minutes.
— Incorporer le lait et poursuivre la cuisson 3 minutes à 100 %.
— Verser la préparation dans un mélangeur et actionner quelques secondes pour obtenir une consistance crémeuse.
— Ajouter la crème et assaisonner au goût.
— Chauffer le tout 2 minutes à 100 %.
— Saupoudrer de persil avant de servir.

Tomates farcies

Ingrédients
8 tomates
30 ml (2 c. à soupe) de beurre
30 ml (2 c. à soupe) de farine
175 ml (3/4 tasse) de lait
115 g (4 oz) de fromage cottage
45 ml (3 c. à soupe) de parmesan râpé
15 ml (1 c. à soupe) de persil
4 œufs
sel, poivre et paprika
Sauce
15 ml (1 c. à soupe) de vinaigre de vin
30 ml (2 c. à soupe) de ketchup
2 ml (1/2 c. à thé) de basilic

Préparation
— Évider les tomates et réserver la pulpe.
— Mettre le beurre dans un plat et faire fondre 40 secondes à 100 % ; ajouter la farine et bien mélanger.
— Incorporer le lait et cuire de 2 à 3 minutes à 100 %, en remuant 1 fois.
— Ajouter les fromages et bien mélanger.
— Ajouter le persil et 4 jaunes d'œufs ; assaisonner et réserver.
— Battre les blancs d'œufs en neige, et y incorporer délicatement le mélange déjà préparé.
— Réunir les ingrédients de la sauce et en incorporer 15 ml (1 c. à soupe) au mélange ; réserver ce qui reste de sauce.
— Verser une égale quantité du mélange dans les tomates évidées et saupoudrer de paprika.
— Disposer les tomates farcies dans un autre plat et chauffer de 7 à 9 minutes à 50 %.
— Hacher finement la pulpe des tomates et la mélanger à ce qui reste de sauce.
— Servir les tomates avec ce mélange.

Tarte aux pommes

Ingrédients
1 croûte de tarte
15 ml (1 c. à soupe) de fécule de maïs
30 ml (2 c. à soupe) de farine
125 ml (1/2 tasse) de sucre
cannelle, au goût
1,25 l (5 tasses) de pommes pelées, coupées en morceaux
15 ml (1 c. à soupe) de beurre
125 ml (1/2 tasse) de céréales de type Croque-nature

Préparation
— Mélanger la fécule de maïs, la farine, le sucre et la cannelle, et verser le tiers de la préparation dans la croûte de tarte.
— Ajouter les pommes et le reste du mélange.
— Parsemer de quelques noix de beurre et des céréales.
— Cuire, surélevé, 2 minutes à 90 %.
— Faire pivoter l'assiette d'un demi-tour et poursuivre la cuisson à 90 % 2 minutes.

Civet de lièvre

Complexité	🍴
Temps de préparation	20 min*
Nombre de portions	8
Valeur nutritive	617 calories 42,4 g de protéines 39,9 mg de fer
Équivalences	5 oz de viande 2 portions de légumes 4 portions de gras

Temps de cuisson	70 min
Temps de repos	5 min
Intensité	100 %, 70 %
Inscrivez ici votre temps de cuisson	

* Le lièvre doit macérer 12 heures avant la cuisson.

Ingrédients
2,6 kg (6 lb) de lièvres
125 ml (1/2 tasse) de farine
50 ml (1/4 tasse) de beurre
4 carottes coupées en cubes
1 petit rutabaga coupé en cubes
3 oignons tranchés
1 feuille de laurier
1 pincée de thym
225 g (1/2 lb) de lard salé
500 ml (2 tasses) d'eau ou de marinade passée au tamis
sel
poivre
450 g (1 lb) de champignons

Marinade
750 ml (26 oz) de vin rouge
1 oignon haché
2 carottes râpées
30 ml (2 c. à soupe) d'huile
1 feuille de laurier

Préparation
— Couper les lièvres en morceaux.
— Dans un bol, réunir tous les ingrédients de la marinade et y mettre les morceaux de lièvre.
— Laisser macérer 12 heures à la température ambiante.
— Retirer les morceaux de lièvre, les assécher et les fariner ; si désiré, passer la marinade au tamis et la mettre de côté pour l'incorporer à la préparation du lièvre.
— Préchauffer le plat à rôtir 7 minutes à 100 %, y mettre le beurre et chauffer 30 secondes à 100 %.
— Saisir les morceaux de lièvre, puis ajouter tous les autres ingrédients, sauf les champignons.
— Couvrir et cuire 10 minutes à 100 %.
— Remuer, couvrir à nouveau, diminuer l'intensité à 70 % et poursuivre la cuisson 30 minutes, en remuant 1 fois.
— Ramener les morceaux de lièvre qui sont au centre du plat vers l'extérieur et ajouter les champignons.
— Couvrir à nouveau et poursuivre la cuisson à 70 % de 20 à 30 minutes ou jusqu'à ce que la chair du lièvre soit tendre.
— Laisser reposer 5 minutes.

Les mots du gibier

À l'instar de tous les grands arts, la cuisine, au cours de sa longue histoire, s'est construit un vocabulaire spécialisé. Les termes utilisés désignent soit des techniques, soit des plats. Comme vous les retrouverez fréquemment dans ce tome portant sur le gibier, nous avons cru utile de dresser une liste des termes les plus courants.

Aromates : Plante, feuille ou herbe qui possède une odeur vive et pénétrante, que l'on utilise pour donner aux mets un goût relevé et agréable. Par exemple, le safran, le thym, l'estragon, le laurier sont utilisés comme aromates.

Assaisonner : Ajouter à certains mets des épices, du sel, du poivre, pour en rehausser la saveur.

Attendrir : Rendre moins ferme la venaison, en la laissant mariner, en la martelant ou en la piquant.

Badigeonner : À l'aide d'un pinceau, enduire la surface d'une viande de beurre, d'une préparation liquide ou d'œufs battus.

Barder : Étendre de minces tranches de lard gras ou une crépine de porc au fond d'un plat ou sur la surface d'une pièce de viande, pour la protéger pendant la cuisson et la nourrir de gras afin d'empêcher qu'elle ne se dessèche. (Ne pas confondre avec larder.)

Bouquet garni : Herbes et plantes aromatiques attachées entre deux branches de céleri ou enveloppées dans de l'étamine (coton à fromage), pour aromatiser certaines préparations (bouillons, fumets, sauces ragoûts, etc.)

Braiser : Faire cuire longuement à feu doux dans une petite quantité de liquide, à couvert, de manière à conserver aux viandes tous leurs sucs.

Brider : À l'aide d'une longue aiguille, faire passer une ficelle dans les cuisses et les ailes d'une volaille ou d'un gibier à plumes, afin d'éviter que ces parties ne se détachent de la carcasse durant la cuisson.

Crépine : Fine membrane aux filaments gras qui entoure l'estomac du porc, dont on se sert pour barder la venaison.

Découper : Couper en parties plus ou moins grosses la carcasse du gros et du petit gibier, avant de procéder à la coupe appropriée à chaque viande.

Émincer : Couper en tranches minces des légumes, des fruits ou des viandes.

Éviscération :   Étape immédiate après la chasse, qui consiste à ouvrir l'abdomen de l'animal et le vider de ses organes, afin d'éviter toute contamination ou putréfaction accélérées par la chaleur interne du corps.

Faisandage :   Première étape de décomposition que l'on fait subir au gibier pour rehausser la saveur de sa chair, en le suspendant quelques jours à l'air libre, avant de le cuire. Aujourd'hui, cette technique contestée est remplacée par une période de mûrissement, beaucoup moins prolongée que celle du faisandage traditionnel.

Fiel :   Substance verdâtre contenue dans la vésicule biliaire du petit gibier et qui, si elle est répandue dans la chair, lui communique un goût âcre.

Frémir :   Faire chauffer un liquide juste en deçà de son point d'ébullition.

Larder :   Enfoncer dans une pièce de viande des morceaux de gras plus ou moins longs, afin d'engraisser la pièce durant la cuisson.

Mariner :   Mettre une viande à tremper dans une marinade (mélange d'huile, de jus de citron, de vinaigre ou de vin, et d'aromates) dans le but de l'attendrir et de la parfumer.

Mijoter :   Faire cuire doucement, sous le point d'ébullition, à feu très doux.

Napper :   Couvrir un mets d'une sauce d'accompagnement, une fois ce dernier placé dans son plat de service.

Râble :   Partie charnue située entre la queue et les côtes du lièvre ou du lapin. Morceau de choix, bon à rôtir.

Réduire :   Action de faire évaporer un liquide pour en relever la saveur et le rendre plus consistant.

Rissoler :   Faire sauter un aliment au beurre pour lui donner une couleur dorée.

Saisir :   Amorcer la cuisson d'une viande à feu vif.

Venaison :   Nom donné à la viande du gros gibier.

Les appellations culinaires

Vous est-il déjà arrivé de lire un menu et de ne pas comprendre les mots utilisés pour nommer un plat ? Les appellations culinaires sont nombreuses et nous viennent la plupart du temps de la bonne vieille France. Pour vous aider à vous y retrouver, voici une courte liste de ces appellations et de leurs descriptions.

À l'agenaise : Canard flambé, farci avec des pruneaux à l'armagnac.

Bonne femme : Préparation à base de vin blanc, d'oignons, de lard et de pommes de terre.

Chartreuse : Mets fin, préparé avec du chou et des légumes, incorporant de la viande ou du gibier. De forme ovale, la chartreuse permet une jolie présentation, grâce à la superposition, en plusieurs couches, de légumes de différentes couleurs.

Chasseur : Sauce aux champignons, au vin blanc, à l'oignon vert et à la tomate. Accompagne bien les abats, la volaille et le gibier à plumes.

Choucroute : D'origine alsacienne, la choucroute se compose de chou vert émincé, salé et fermenté durant plusieurs semaines. Accompagne bien la saucisse, la viande blanche et le gibier à plumes.

Civet : Ragoût confectionné avec du gibier à poil et du vin rouge. Le sang de l'animal est parfois intégré dans la préparation comme liant et confère au plat, une onctuosité et une saveur particulières.

Grand veneur : Désigne des pièces de gros et de petit gibier, servis avec une sauce poivrade, enrichie de crème fraîche et de groseilles.

Laqué : Préparation chinoise, de canard ou de porc, consistant à enduire d'une sauce aigre-douce, la peau de l'animal avant de le faire rôtir.

Marengo : Sauce chasseur agrémentée d'ail.

Poivrade : Nom donné à plusieurs sauces relevées, dans lesquelles le poivre vert sert de condiment principal. Accompagne très bien le gibier.

Soubise : Préparation à base d'oignons, de cayenne et de sauce Béchamel, adoucie avec de la crème.

Index

Ont collaboré à la Grande Collection Micro-Ondes :

Choix de recettes et assistance technique :
École de cuisine Bachand-Bissonnette
Conseillers culinaires :
Michèle Émond, Denis Bissonnette
Diététiste :
Christiane Barbeau
Photos :
Laramée Morel Communications Audio-Visuelles
Assisté de : Robert Légaré
Julie Léger
Pierre Tison
Alain Bosman
Stylisme :
Claudette Taillefer
Adjoints : Anne Gagné
Nathalie Deslauriers
Sylvain Lavoie
Accessoiriste : Andrée Cournoyer
Rédaction : Communications
La Griffe Inc.
Révision des textes : Cap et bc inc.
Typographie :
Monique Magnan
Montage : Marc Vallières
Vital Lapalme
Carole Garon
Jean-Pierre Larose
Daniel Pelletier

Directeur de la production :
Gilles Chamberland
Illustrateur :
Luc Métivier
**Directeur artistique
et responsable du projet :**
Bernard Lamy
Conseillers spéciaux :
Roger Aubin
Joseph R. De Varennes
Gaston Lavoie
Kenneth H. Pearson
Réalisation :
Le Groupe Polygone Éditeurs Inc.

Les éditeurs de la Grande Collection Micro-Ondes considèrent que les informations qu'elle contient sont exactes. Toutefois, la publication de l'ouvrage n'entraîne aucune garantie quant aux résultats des préparations culinaires. De plus, les éditeurs n'assument aucune responsabilité concernant l'usage des recommandations et indications données.

Nous remercions les maisons PIER 1 IMPORTS et LE CACHE POT de leur participation à l'illustration de cette encyclopédie.